From the Library of

Dans Le Livre de Poche :

LE GRAND MEAULNES.

ALAIN-FOURNIER

Miracles

précédé de

Alain-Fournier

par Jacques Rivière

FAYARD

Notice
pour la présente édition

La présente édition, comme celle de 1924, s'ouvre par l'introduction de Jacques Rivière et reprend tous les textes publiés par lui pour la première fois. Ces textes étaient alors au nombre de dix-sept : la «Première Partie» du livre (pp. 91-121) comprenait huit poèmes, et la «Deuxième Partie» (pp. 123-217) neuf proses (en considérant l'ensemble intitulé «Trois proses» comme autonome).

L'édition que nous proposons se distingue cependant de celle de 1924 sur trois points.

1. Les textes sont présentés dans l'ordre chronologique — ou supposé tel — de leur composition (les poèmes se retrouvent d'ailleurs en tête, suivis des proses).

2. Ces textes passent de dix-sept à vingt-six ; on pourra de la sorte découvrir quatre poèmes en vers inédits : *Tristesses d'été*, *Adolescents*, *Sur ce grand chemin*, *Ronde*, ainsi que cinq proses également inédites : fragments de *Les Gens du Domaine*, *Dialogue aux approches de Noël*, un texte sans titre qui est le premier jet de *La Femme empoisonnée*, *La Femme empoisonnée* et *Les Fêtes publiques*.

3. Cet ensemble est assorti de notes explicatives, le plus souvent chronologiques, permettant de relier le texte présenté aux autres œuvres publiées d'Alain-Fournier.

Nous renvoyons, par ailleurs, le lecteur à l'édition du centenaire (Garnier, 1986) qui présente en outre les ébauches, plans et brouillons du *Grand Meaulnes*.

INTRODUCTION

Alain-Fournier, l'homme d'un seul livre, *Le Grand Meaulnes*, passe pour un être mythique dont la brève existence n'a laissé d'autre trace parmi nous que la claire aventure de ses trois héros : Augustin, Frantz et François.

Certes, sa disparition en pleine jeunesse, qui ne nous a pas même laissé une tombe à fleurir, ajoute encore à sa légende. Pourtant, si son unique roman a suffi à sa notoriété, il est d'autres textes de lui qui nous introduisent plus avant au sanctuaire de son âme et permettent de relever sa trace ici-bas : ce sont ses lettres et ses poèmes.

C'est de ces derniers qu'il s'agit dans ce livre.

Premiers balbutiements d'un écrivain qui à dix-huit ans cherche déjà sa voie, poèmes qui jalonnent sa quête, jusqu'au jour où il doit se rendre à l'évidence que la poésie ne réside pas uniquement dans une forme littéraire plus ou moins conventionnelle : elle est une attitude de l'esprit et du cœur. Alors, écrit-il : « je serai le passeur des pauvres âmes, des pauvres vies. Je les passerai sur le rivage de mon pays où toutes choses sont vues dans leur secrète beauté ».

C'est cet itinéraire que nous retrace le recueil de *Miracles*.

De ses premiers poèmes plus ou moins inspirés des auteurs qu'il admire jusqu'à la prose limpide, inimitable du *Grand Meaulnes*, quel chemin parcouru qu'il faut reprendre pas à pas si l'on veut découvrir le secret du *Grand Meaulnes* et mieux comprendre d'où il vient et où il nous conduit « sans en avoir l'air » !

Pour compléter cette lecture, il faudra aussi se pénétrer de ses lettres depuis sa plus petite enfance, à ses parents, à son ami Jacques Rivière, à sa sœur Isabelle, à ses autres amours ; en quelque sorte une autobiographie qui nous le révèle intimement et qui lui permet en même temps de se forger les instruments de son métier d'écrivain.

Jacques Rivière, son témoin privilégié, nous en dit plus sur lui : il nous raconte sa vie de l'intérieur. C'est l'importance de sa préface à l'édition que le premier il a faite de ces *Miracles* en 1924, dix ans après la mort de son ami sur les hauts de Meuse, au tout début de la guerre de 1914.

ALAIN RIVIÈRE.

ALAIN-FOURNIER

par

Jacques Rivière

COMMENT rattraper sur la route terrible où elle nous a fuis, au-delà du spécieux tournant de la mort, cette âme qui ne fut jamais tout entière avec nous, qui nous a passé entre les mains comme une ombre rêveuse et téméraire ?

«Je ne suis peut-être pas tout à fait un être réel.» Cette confidence de Benjamin Constant, le jour où il la découvrit, Alain-Fournier en fut profondément bouleversé ; tout de suite il s'appliqua la phrase à lui-même et il nous recommanda solennellement, je me rappelle, de ne jamais l'oublier, quand nous aurions, en son absence, à nous expliquer quelque chose de lui.

Je vois bien ce qui était dans sa pensée : «Il manque quelque chose à tout ce que je fais, pour être sérieux, évident, indiscutable. Mais aussi le plan sur lequel je circule n'est pas tout à fait le même que le vôtre ; il me permet peut-être de passer là où vous voyez un abîme : il n'y a peut-être pas pour moi la même discontinuité que pour vous entre ce monde et l'autre.»

Ses plus grands enthousiasmes littéraires allèrent toujours aux œuvres qui lui faisaient sentir l'idéalité de l'univers et de la vie elle-même.

Il faut savoir aussi combien il était sobre :

matériellement d'abord (jamais il ne sembla prendre à la nourriture le moindre plaisir, il ne lui demandait que de l'entretenir en vie); mais surtout au spirituel: j'ai souvent admiré combien légèrement il goûtait à la réalité et c'était une surprise pour moi, à chaque fois, de voir de quelle impondérable mousse s'emplissait seulement la coupe qu'il y plongeait.

Il n'y avait pas là l'effet d'une constitution physique fragile, ni aucune intolérance par débilité. Au contraire Fournier fut toute sa vie robuste et bien-portant. C'était son esprit tout seul dont l'aspiration était ainsi prudente et réservée, — comme s'il eût eu ailleurs d'autres sources où puiser, et une alimentation invisible.

Quand je la compare à la sienne, toute ma vie, qui pourtant fut occupée par beaucoup des mêmes événements, m'apparaît affreusement positive. J'ai saisi bien des choses qu'il laissa échapper; mais c'est lui qui volait, moi qui reste...

Il serait vain de vouloir distinguer le merveilleux spontané, dans son histoire, et celui qu'il y ajouta lui-même par la simple tournure de son imagination. Elle reste, en tous cas, «à peine réelle», tissée des aventures les moins analysables; des femmes y sont mêlées dont, du fait que son regard seulement les effleura, il devient impossible de savoir qui elles furent d'autre que les anges ou les démons qu'il vit.

Une biographie d'Alain-Fournier? Écrite du dehors, puisée ailleurs que dans ses contes et dans *Le Grand Meaulnes*, ne sera-t-elle pas un continuel mensonge, le récit des faits qu'il n'a pas vécus? Et comment oser, en particulier, reconstituer sa dernière rencontre? Comment savoir le visage qu'eut pour lui, brusquement dévoilé dans la solitude, cette maîtresse terrible qu'il avait toujours attendue : la guerre ?

I

Pourtant je suis le seul à l'avoir vraiment connu. Nous nous étions liés au lycée Lakanal, où nous étions entrés tous les deux en octobre 1903 pour préparer l'École Normale Supérieure. Nous avions le même âge : dix-sept ans.

Notre amitié ne fut d'ailleurs pas immédiate, ni ne se noua sans péripéties ; nos différences de caractère se firent jour avant nos ressemblances. Fournier, animé de l'esprit d'indépendance qu'il devait attribuer plus tard à Meaulnes, avait entrepris d'ébranler la vénérable et stupide institution de la Cagne, c'est-à-dire l'organisation hiérarchique qui réglait les rapports des élèves de rhétorique supérieure et l'ensemble de rites et d'obligations humiliantes que les anciens imposaient aux « bizuths ». Il avait pris la tête d'une coterie de révoltés, avec laquelle je sympathisais secrètement, mais que ma timidité et mon désir d'éviter les distractions m'empêchèrent de rallier tout de suite.

J'observai longtemps une neutralité rigoureuse dans la bataille qui opposait mes camarades. La figure de Fournier m'intéressait pourtant déjà vivement. Parmi ces jeunes gens, dont plusieurs étaient comme lui fils d'instituteurs, mais que leurs dispositions universitaires rendaient déjà légèrement compassés, il surgissait libre, joueur, ivre de jeunesse. Ce que l'atmosphère où nous étions plongés avait d'un peu pédant et artificiel,

il le faisait par instants drôlement fuser au-
dehors et nous restituait le caprice dont nous
avions besoin pour respirer.

Je le regardais combiner ses offensives contre
le « Bureau », je lisais les pétitions révolution-
naires qu'il faisait circuler pendant l'étude. Je me
sentais un peu scandalisé, un peu effrayé, fort
séduit malgré tout par son personnage.

Je ne pensais pourtant pas à me rapprocher de
lui. C'est lui qui me fit le premier des avances,
d'ailleurs mêlées de taquineries et de moqueries,
qui me furent, je l'avoue, très insupportables. De
toute évidence je l'agaçais un peu, si je l'attirais
aussi ; ma nature appliquée, scrupuleuse, méticu-
leuse lui donnait des impatiences. Il me jouait
des tours que je ne prenais pas toujours très bien.
Que de fois, en rentrant de récréation, je trouvai
mon pupitre bouleversé, mes livres en désordre :
Fournier avait passé par là. Je lui en voulais de
tout mon cœur !

Mais il tenait à moi et peu à peu la sincérité de
son attachement m'apparut, me convainquit,
apaisa mes résistances. C'est aussi qu'à côté de
son indiscipline, tout un autre aspect de son
caractère se révélait à moi, lentement, que je ne
pouvais qu'aimer. Sous ses dehors indomptés, je
le découvrais tendre, naïf, tout gorgé d'une douce
sève rêveuse, infiniment plus mal armé encore
que moi, ce qui n'était pas peu dire, devant la
vie.

Le parc de Lakanal, qui fut celui de la
Duchesse du Maine et de la Cour de Sceaux, est
un endroit merveilleux ; il dévale lentement vers
Bourg-la-Reine. La grande allée vient aboutir à
une grille qui donne sur un chemin peu fré-
quenté ; un banc la termine, où, parmi toute cette
banlieue, on peut avoir l'illusion d'une relative

solitude. C'est sur ce banc que chaque jour, pendant l'heure de récréation qui suivait le déjeuner, je venais m'asseoir avec Fournier.

Nous avions de grandes conversations. Il me parlait de son pays avec une sorte de passion. Il était né[1] à La Chapelle-d'Angillon, un petit chef-lieu de canton du Cher, à une trentaine de kilomètres au nord de Bourges, sur les confins de la Sologne et du Sancerrois, en plein centre de la France. Mais c'est surtout d'Épineuil-le-Fleuriel, un plus petit village encore, situé à l'autre extrémité du département, entre Saint-Amand et Montluçon, où ses parents avaient été longtemps instituteurs et où il avait passé toute sa première enfance, qu'il me faisait des descriptions enthousiastes et presque amoureuses. Je reconstituais sa vie de petit paysan dans cette campagne sans pittoresque, lente, pure et copieuse et dont les aspects s'étaient comme incorporés à son âme : je me rendais compte de ce qu'avait été cette enfance alimentée par la précieuse ignorance de tout autre paysage au monde que celui qu'on pouvait découvrir des fenêtres de l'école. Quelle estacade que cette solitude pour les voyages de l'imagination !

En effet, entraîné aussi, il faut le dire, par la lecture effrénée des livres de prix que recevaient ses parents chaque année vers le début de juillet et dont, s'enfermant au grenier avec sa sœur, il consommait l'entière provision avant qu'ils ne fussent distribués, Fournier s'était mis très tôt à imaginer l'inconnu et à le chercher. Comme il était naturel, dans ce plein milieu des terres, devant son horizon immobile, il s'était particulièrement épris de l'océan. Au point qu'il avait

1. Le 3 octobre 1886.

décidé vers treize ans de se faire officier de marine. Après un séjour à Paris, au lycée Voltaire, il avait été à Brest pour préparer l'examen du Borda. Mais malgré les succès qu'il avait remportés en mathématiques, il ne s'était pas senti dans sa voie, et comme, par surcroît, le milieu lui déplaisait, au bout d'un an, laissant, le cœur gros, échapper, comme un infidèle oiseau, son premier rêve d'aventure, il était rentré dans son pays.

Il s'était tourné alors vers les lettres et était venu à Lakanal en faire l'apprentissage.

Il ne les choisissait donc à ce moment que comme un pis-aller. C'est qu'au fond, il ne les avait pas encore, non plus que moi d'ailleurs, découvertes. Je date des environs de Noël 1903 la révélation qui nous en fut faite en même temps à l'un et à l'autre. Pour nous remercier du compliment traditionnel que nous lui avions adressé avant le départ en vacances, notre excellent professeur, M. Francisque Vial, à qui mon éternelle reconnaissance soit ici exprimée, nous fit une lecture du *Tel qu'en songe* d'Henri de Régnier :

J'ai cru voir ma Tristesse — dit-il — et je l'ai vue
— Dit-il plus bas —
Elle était nue,
Assise dans la grotte la plus silencieuse
De mes plus intérieures pensées,... etc.

Puis :

En allant vers la ville où l'on chante aux
[terrasses
Sous les arbres en fleurs comme des bouquets de
[fiancées...

Et:

Les grands vents venus d'outre-mer
Passent par la Ville, l'hiver,
Comme des étrangers amers...

Et ces deux vers enfin qui tombèrent en nous comme une lente pierre dans une eau troublée:

Pauvre âme,
Ombre de la tour morne aux murs d'obsidiane!

Nous nous étions déjà penchés sur des textes admirables; nous y avions senti par instants palpiter quelque chose de tendre et d'exquis; mais la gangue scolaire qui les entourait, emprisonnait aussi leur sortilège.

Et puis ni Racine, ni Rousseau, ni Chateaubriand, ni même Flaubert ne s'adressaient à nous, jeunes gens de 1903; ils parlaient à l'humanité universelle; ils n'avaient pas cette voix comme à l'avance dirigée vers notre cœur, que tout à coup Henri de Régnier nous fit entendre.

Nous tombions, sans avoir même su qu'il en existât de tels, sur des mots choisis exprès pour nous et qui non seulement caressaient nommément notre sensibilité, mais encore nous révélaient à nous-mêmes. Quelque chose d'inconnu, en effet, était atteint dans nos âmes; une harpe que nous ne soupçonnions pas en nous s'éveillait, répondait; ses vibrations nous emplissaient. Nous n'écoutions plus le sens des phrases; nous retentissions seulement, devenus tout entiers harmoniques.

Je regardais Fournier sur son banc; il écoutait profondément; plusieurs fois nous échangeâmes des regards brillants d'émotion. À la fin de la classe, nous nous précipitâmes l'un vers l'autre. Les forts en thème ricanaient autour de nous, parlaient avec dédain de «loufoqueries». Mais nous, nous étions dans l'enchantement et bouleversés d'un enthousiasme si pareil que notre amitié en fut brusquement portée à son comble.

Dès la rentrée de janvier, délaissant les occupations dites sérieuses et la préparation de l'«École», nous achetâmes les œuvres de Henri de Régnier, de Maeterlinck, de Vielé-Griffin et nous les dévorâmes.

Je ne sais s'il est possible de faire comprendre ce qu'a été le Symbolisme pour ceux qui l'ont *vécu*. Un climat spirituel, un lieu ravissant d'exil, ou de rapatriement plutôt, un paradis. Toutes ces images et ces allégories, qui pendent aujourd'hui, pour la plupart, flasques et défraîchies, elles nous parlaient, nous entouraient, nous assistaient ineffablement. Les «terrasses», nous nous y promenions, les «vasques», nous y plongions nos mains et l'automne perpétuel de cette poésie venait jaunir délicieusement les frondaisons mêmes de notre pensée.

Où le Griffon a-t-il enterré le Saphir ?

Nous y eussions conduit sans hésiter le premier de ces chevaliers masqués, surgis aux lisières ou près des sources apparus, qui nous eût demandé le chemin.

Nous ne connaissions encore ni Mallarmé, ni Verlaine, ni Rimbaud, ni Baudelaire. C'était dans le monde plus vague et plus artificiel construit par leurs disciples, que nous nous mouvions, sans soupçonner qu'il n'était qu'un décor qui nous cachait la vraie poésie.

Pourtant des différences non pas tant de goût que de prédilection ne tardèrent pas à apparaître entre Fournier et moi. Tandis que je mettais au premier plan Maeterlinck, pour la profondeur philosophique que je lui attribuais libéralement, et plus tard Barrès, dont l'idéologie me ravissait, Fournier élisait avec une affection farouche Jules Laforgue d'abord, ensuite Francis Jammes. Ces deux admirations qui le prirent vers 1905, valent la peine d'être analysées, car elles sont révélatrices de certaines tendances très profondes de son esprit.

Que n'ai-je pas dit et surtout écrit à Fournier contre Laforgue? Il m'agaçait; je le trouvais pleurard et pédant; je ne comprenais rien à ses souffrances; je ne m'en expliquais pas la cause. Fournier le défendait avec acharnement et je vois bien maintenant tout ce qu'il découvrait de lui-même dans le pauvre blessé des *Complaintes*.

«Blessé, mais amoureux, me répondit-il justement lui-même dans une des nombreuses apologies qu'il me fit de son héros[1], blessé mais orgueilleux. Blessé, mais d'une si grande douceur de cœur. Blessé, parce que tout cela; et ironique parce que blessé et seulement pour cela. Il n'a jamais été que le jeune homme timide (à ne pas pouvoir passer devant une «dame» sans tomber), et qui a répété toute sa vie:

Oh! qu'une, d'elle-même, un beau soir, sût venir,
Ne voyant que boire à mes lèvres et mourir.»

1. Lettre du 22 janvier 1906.

19

Fournier était tout à fait exempt de cette timidité extérieure et physique qu'il attribue ici à Laforgue, mais il en avait une plus secrète, à base de tendresse et d'orgueil, qui ne le paralysait pas moins. Comme Laforgue, il avait un immense besoin de la Femme, mais avant tout comme d'un calmant pour sa susceptibilité frémissante; il ne supportait pas l'idée d'être à découvert devant elle, en butte à ses flèches, déconcerté, malmené; une pureté et une innocence parfaites en elle étaient indispensables à la formation de son amour.

Il lui fallait l'union des âmes avant celle des corps et un certain absolu d'affection où se plonger. Toutes les exigences de Laforgue, il les reconnaissait pour siennes.

Et aussi les déceptions, car il n'était pas sans se rendre compte confusément de ce que son rêve avait d'irréalisable. Il en éprouvait d'avance cette même irritation désolée qu'il voyait chez Laforgue se tourner en ironie. «Ironique parce que blessé et seulement pour cela.»

Laforgue devait lui servir comme d'une vengeance anticipée contre cette étrange nation des femmes à laquelle il avait la plus étrange idée encore d'aller demander du bonheur. Il avait à ce moment-là des relations, tout à fait pures d'ailleurs, avec une petite étudiante, qu'il accompagnait chaque dimanche et tâchait de former suivant son idéal. Il ne cherchait pas trop à la transfigurer à mes yeux; mais je sentais quelque chose en lui, dès ce moment, se débattre contre les bornes par trop précises qu'elle infligeait à son imagination; il la lui fallait déjà plus sincère, plus candide surtout qu'elle ne pouvait être. Et de ses petitesses, de ses coquetteries il souffrait comme d'autant d'injustices qu'elle eût commises envers lui.

Pourtant il ne faudrait pas se représenter Fournier comme dominé par le scepticisme moral ou le dépit, ni comme dépourvu de tout réalisme ; à ses chanceuses aspirations le goût des choses concrètes formait dès ce moment contrepoids.

Déjà chez Laforgue il n'admirait pas seulement l'exilé en ce monde ni l'amant tyrannique et craintif. Voulant me le faire comprendre et aimer, c'est toute une série d'impressions de nature, choisies au hasard des pages, qu'il recopiait pour moi dans une de ses lettres :

O cloîtres blancs perdus...
— Soleils soufrés croulant dans les bois
                    [dépouillés...

... Paris ! ses vieux dimanches
dans les quartiers tannés où regardent des
                    [branches
par-dessus les murs des pensionnats, etc.[1]

Dès ce moment il demandait à la poésie une certaine traduction, en langage clair et insaisissable, de la plus humble réalité. C'est pourquoi Jammes, que nous avions découvert dans *L'Angélus de l'aube...,* l'avait du premier coup enchanté.

Toute la campagne, non pas celle qu'on visite, mais celle où Fournier était né et dont il sentait l'imprégnation, revivait dans ces lignes un peu tremblantes, privées de toute architecture interne, que Jammes traçait, les unes au-dessous des autres, d'une main paisible et maladroite

1. Lettre du 22 janvier 1906.

exprès. La façon dont les mots y venaient, à leur place physique plutôt que significative, et dont ils incarnaient les animaux, les arbres, les métairies, en suggérant simplement l'odeur, la couleur ou la forme ; la peinture de chaque heure du jour, avec son soleil propre et l'exacte déclivité des ombres ; ces vers si tangibles que certains pouvaient être tenus entre les mains comme une gaule, d'autres froissés dans les doigts comme une feuille de menthe, — toute cette poésie matérielle et pure l'enchantait.

Nous ne séparerons pas la vie d'avec l'art.

Fournier s'empara tout de suite de ce vers faux, ou mal cadencé, et le fit marcher longtemps à cloche-pied, en avant-garde de son œuvre, comme un chemineau et comme un guide.

Ce fut appuyé sur Jammes qu'il commença à se révolter contre l'intelligence, c'est-à-dire, dans son esprit, contre la culture des idées, contre l'effort pour définir, contre le jugement qui exclut. Barrès, en qui je me complaisais à ce moment et qu'il fit effort pour aimer avec moi, dans le fond l'exaspérait. « Je t'ai dit une fois pour toutes que je trouvais parfaitement vain ce travail de mise en formules... Je préférerai, moi, toujours m'arrêter pour parler de la « mer méridionale éperdument bleue » — ou de la batteuse que j'entends ronfler dans les champs derrière moi comme pour me dire que c'est encore l'été — encore un peu de tout cet été que je n'ai pas vécu[1]. » Et plus tard : « Je me dégoûte d'écrire ainsi tant de petites théories, de petits jugements, de longues phrases qui ne riment à rien. Alors

1. Lettre du 23 septembre 1905.

que lentement, longuement, silencieusement je devrais chercher en moi des mots brefs et légers qui disent le passé ou la vie[1]. »

Il avait commencé d'ailleurs, depuis assez longtemps déjà, à les chercher, « ces mots brefs et légers », dont il devait plus tard trouver une si délicieuse et expressive foison. Peu de temps après notre découverte du Symbolisme, il s'était mis à écrire des vers. Rien de plus curieux que ces premiers essais d'Alain-Fournier. Je dois avouer à ma honte que je ne sus pas y reconnaître sa vocation.

C'est aussi qu'ils révélaient tout autre chose que le poète qu'on était porté naturellement à y chercher. Aucune image vraiment neuve, aucune transformation vraiment chimique du monde par les mots ; les objets n'y devenaient jamais autres et saisissants ; un doux courant les entraînait comme des fleurs intactes, — un courant facile et faible comme la rêverie[2].

Je recopie ici, à titre d'exemple, non pas le meilleur mais le plus important — je dirai en quoi tout à l'heure — de ces poèmes :

À TRAVERS LES ÉTÉS

(À une jeune fille.)

Attendue,
À travers les étés qui s'ennuient dans les cours
en silence

---

1. Lettre du 22 janvier 1906.
2. Les premiers vers que j'ai faits, m'écrivait Fournier lui-même dans une lettre du 22 août 1906, étaient surtout la découverte extasiée de deux ou trois mots auxquels je ne pensais plus et de tout ce que leur son réveillait en moi : « Angélus... aubépine... après-midi... civière... ou voiture à chien. »

et qui pleurent d'ennui,
Sous le soleil ancien de mes après-midi
lourds de silence
solitaires et rêveurs d'amour
d'amours sous des glycines, à l'ombre, dans la
[cour
de quelque maison calme et perdue sous les
[branches,
À travers mes lointains, mes enfantins étés,
ceux qui rêvaient d'amour
et qui pleuraient d'enfance,

Vous êtes venue,
une après-midi chaude dans les avenues,
sous une ombrelle blanche,
avec un air étonné, sérieux,
un peu
penché comme mon enfance.
Vous êtes venue sous une ombrelle blanche.

Avec toute la surprise
inespérée d'être venue et d'être blonde,
de vous être soudain
mise
sur mon chemin,
et soudain, d'apporter la fraîcheur de vos mains
avec, dans vos cheveux, tous les étés du Monde.

Vous êtes venue :
Tout mon rêve au soleil

N'aurait jamais osé vous espérer si belle.
Et pourtant, tout de suite, je vous ai reconnue.
Tout de suite, près de vous, fière et très
et une vieille dame gaie à votre bras, [demoiselle
il m'a semblé que vous me conduisiez, à pas
lents, un peu, n'est-ce pas, un peu sous votre
                                        [ombrelle,
à la maison d'Été, à mon rêve d'enfant,

à quelque maison calme, avec des nids aux toits,
et l'ombre des glycines, dans la cour, sur le pas
de la porte — Quelque maison à deux tourelles
avec, peut-être, un nom comme les livres de prix
qu'on lisait en juillet, quand on était petit.

Dites, vous m'emmeniez passer l'après-midi
Oh ! qui sait où !... à « La Maison des
                                  [Tourterelles ».

Vous entriez, là-bas,
dans tout le piaillement des moineaux sur le toit,
dans l'ombre de la grille qui se ferme. — Cela
fait s'effeuiller, du mur et des rosiers grimpants,
les pétales légers, embaumés et brûlants,
couleur de neige et couleur d'or, couleur de feu,
sur les fleurs des parterres et sur le vert des
                                        [bancs
et dans l'allée comme un chemin de Fête-Dieu.

Je vais entrer, nous allons suivre, tous les deux
avec la vieille dame, l'allée où, doucement,

votre robe, ce soir, en la reconduisant,
balaiera des parfums couleur de vos cheveux.

Puis recevoir, tous deux,
dans l'ombre du salon,
des visites où nous dirons
de jolis riens cérémonieux.

Ou bien lire avec vous, auprès du pigeonnier,
sur un banc de jardin, et toute la soirée,
aux roucoulements longs des colombes peureuses
et cachées qui s'effarent de la page tournée,
lire, avec vous, à l'ombre sous le marronnier,
un roman d'autrefois, ou « Clara d'Ellébeuse ».

Et rester là, jusqu'au dîner, jusqu'à la nuit,
à l'heure où l'on entend tirer de l'eau au puits
et jouer les enfants rieurs dans les sentes
                                        [fraîchies.

C'est Là... qu'auprès de vous, oh ma lointaine,
je m'en allais,
et vous n'alliez,
avec mon rêve sur vos pas,
qu'à mon rêve, là-bas,
à ce château dont vous étiez, douce et hautaine,
la châtelaine.

C'est Là — que nous allions, tous les deux, n'est-
                                        [ce pas,
ce Dimanche, à Paris, dans l'avenue lointaine,
qui s'était faite alors, pour plaire à notre rêve,
plus silencieuse, et plus lointaine et solitaire...

Puis, sur les quais déserts des berges de la
[Seine...
Et puis après, plus près de vous, sur le bateau,
qui faisait un bruit calme de machine et d'eau...

Évidemment j'aurais dû comprendre; j'aurais dû démêler ce que Fournier lui-même d'ailleurs n'apercevait pas encore à ce moment: que c'était là l'exercice d'un conteur, et non d'un poète.

Le vers libre y était adopté par Fournier sous l'influence sans doute des Symbolistes, mais surtout comme un moyen de suivre exactement les phases d'un récit. Il me semble qu'on le sent ici s'entraîner à conter. Il ne s'est pas encore arraché à ses impressions; il cherche encore à nous les imposer telles quelles (et avouons franchement qu'il n'y réussit guère); mais déjà, malgré lui peut-être, elles s'analysent, elles perdent la densité poétique et prennent la forme d'une énumération. Des faits, des événements percent sans cesse au travers des spectacles; un dynamisme se fait sentir sous l'enveloppe émotive; des moments sont distingués; le présent, le futur viennent tout naturellement remplacer le passé:

Je vais entrer, nous allons suivre, tous les deux
avec la vieille dame l'allée, où doucement,
votre robe, ce soir, en la reconduisant,
balaiera des parfums couleur de vos cheveux.

D'ailleurs le thème du morceau n'est-il pas une «aventure» déjà? Et cette aventure, ne la connaissons-nous pas? N'est-ce pas, avant la lettre, la rencontre de Meaulnes et d'Yvonne de Galais? Plusieurs détails du récit définitif figurent déjà dans le poème : la vieille dame dont la jeune fille est accompagnée, l'ombrelle de celle-ci, sa démarche, le titre de châtelaine qui lui est donné en passant ; même, le dernier vers se trouvera textuellement dans le chapitre de la *Promenade sur l'étang.*

Une seule différence importante : au lieu de se passer entièrement dans un «domaine mystérieux», la scène est d'abord située à Paris. Ce n'est que par l'imagination que le poète la transporte par instants à la campagne.

Ce point serait sans intérêt s'il ne nous permettait de remonter plus haut que le poème ici analysé, jusqu'à l'origine dans la réalité de l'aventure qui en fait les frais, jusqu'à l'événement de la vie d'Alain-Fournier qui a donné naissance au *Grand Meaulnes.*

Il est si délicat, si fragile que j'ose à peine le toucher avec des mots ; je crains de le briser en le racontant.

Pourtant ses répercussions sur toute la vie sentimentale et même intellectuelle de Fournier furent infinies.

J'ai dit combien il était exigeant, en pensée, à l'égard des femmes et quelle perfection il leur réclamait comme son dû. Il avait été bientôt las des trop pauvres satisfactions que pouvaient lui offrir celles qui étaient à sa portée.

Est-ce une exaspération de son attente qui la lui fit croire tout à coup comblée ? Ou bien alla-t-il instinctivement chercher un objet inaccessible qui ne pourrait le décevoir ? Ou bien la vie vint-elle réellement, comme il arrive, au-devant de son imagination et lui présenta-t-elle son rêve authentiquement incarné ?

Le fait est simplement qu'il rencontra un jour, dans Paris, au Cours-la-Reine, une jeune fille merveilleusement belle qu'il suivit, dont il découvrit par mille ruses le nom et l'adresse, qu'il retrouva et, bien qu'elle eût l'air extrêmement réservée, aborda. Le miracle est qu'il obtint d'elle quelque mots de réponse qui purent lui donner à croire qu'il n'était pas dédaigné. Et il sentit que l'étrange apparition devait faire un effort sur elle-même pour briser l'entretien et lui dire : « Quittons-nous ! Nous avons fait une folie. »

Des années passèrent sur cette rencontre sans effacer l'impression que Fournier en avait reçue ; au contraire elle alla en s'approfondissant.

La jeune fille avait quitté Paris ; Fournier eut beaucoup de peine à retrouver sa trace ; et quand il y parvint, longtemps plus tard, ce fut pour apprendre, avec un immense désespoir, qu'elle était mariée.

Ayant suivi Alain-Fournier depuis son adolescence jusqu'à sa mort, je puis dire que cet événement si discret fut l'aventure capitale de sa vie et ce qui l'alimenta jusqu'au bout de ferveur, de tristesse et d'extase. Ses autres amours n'effacèrent jamais celui-là, ni même, je crois, n'intéressèrent jamais les mêmes parties de son âme. Il voyait toujours la parfaite jeune fille penchée sur lui ; il ne lui demandait pas de se caractériser ni de se révéler à lui dans sa différence ; il n'avait aucun besoin, dans le fond, de la connaître au sens complexe et dangereux du mot ; il lui suffisait qu'elle fût impossible comme la vie ; elle non plus, n'était « peut-être pas tout à fait un être réel » : c'est par quoi, en le comblant d'amertume, elle le consolait aussi.

II

J'avais quitté Lakanal au mois de juillet 1905, ayant obtenu une bourse de licence en province. Fournier était allé passer ses vacances en Angleterre, puis était rentré au lycée pour une troisième année de « cagne ». Nous restâmes séparés pendant deux ans.

Mais de cette séparation naquit une énorme correspondance, qui me permet aujourd'hui de suivre rétrospectivement le développement de mon ami pendant cette période.

Ce fut, à coup sûr, une de celles où sa pensée fut le plus active, celle où son talent se nourrit, se forma. Tout le poids dont l'accablait la « préparation de l'École », pour laquelle il n'était pas directement doué, et qui était pour lui, par instants, un véritable cauchemar, ne l'empêcha pas de lire, ni de pomper autour de lui tous les sucs dont il avait besoin.

Il s'assimila Claudel, Gide, Rimbaud, Ibsen, acheva de digérer Laforgue et Jammes. En Angleterre, il s'était épris des Préraphaélites. La peinture l'intéressait, mais par les côtés, il faut bien le dire, où elle touchait à la littérature. A Paris, il se mit à visiter les salons : Maurice Denis et Laprade lui donnèrent de grandes émotions. Il croyait découvrir dans leurs toiles les paysages purs et désespérés qu'habitait naturellement son âme, qu'il voulait à son tour évoquer.

En toutes ses admirations de cette époque, d'ailleurs, et même de toujours, on sent un fort coefficient subjectif : il se cherche au travers de ce qui l'enthousiasme; il poursuit surtout des exemples, des permissions.

Un moment il plie et s'effondre presque sous Claudel; mais on le voit d'une lettre à l'autre se démener sous l'énorme avalanche, se rassembler, se saisir: «Claudel, s'écrie-t-il, apprends-moi à penser et à écrire selon moi, à moi qui sens selon moi[1].» Et dans la lettre suivante, il note la leçon et l'encouragement qu'il croit avoir reçu du poète de *Tête d'Or*: «Il m'a renforcé... dans cette conviction que j'ai toujours eue... que je ne serai pas moi tant que j'aurai dans la tête une phrase de livre, — ou, plus exactement, que tout cela, littérature classique ou moderne, n'a rien à voir avec ce que je suis et que j'ai été. Tout effort pour plier ma pensée à cela est vicieux. Peut-être faudra-t-il longtemps et de rudes efforts pour que profondément, sous les voiles littéraires ou philosophiques que je lui ai mis, je retrouve ma pensée à moi, et pour qu'alors à genoux, je me penche sur elle et je transcrive mot à mot[2].»

Il est difficile, tant elles sont nombreuses et riches, de mettre en ordre toutes les découvertes que Fournier fit sur lui-même, ou plutôt sur son talent et sur les conditions de sa création, pendant ces deux ou trois années.

Les plus générales d'abord: il comprend, lui qui vient de s'épanouir, au milieu et par le moyen de la littérature la plus ésotérique, la plus aristocratique peut-être qui ait jamais été, — il comprend que ses sources d'inspiration sont d'ordre populaire, qu'il doit obéissance à son hérédité paysanne et que c'est du milieu dont il sort que monteront à son esprit les vrais thèmes de son

1. Lettre du 7 mars 1906.
2. Lettre du 21 mars 1906.

œuvre future. Toutes ses lettres sont pleines de descriptions de son pays, de grands récits de promenades, de conversations avec des paysans qu'il me rapporte méticuleusement : « Il me répondait, dit-il de l'un d'eux, avec une grossièreté, et une lenteur, et une prudence qui me prenaient le cœur[1]. » Et plus loin : « Je voudrais dire avec le même amour les injures de celui qui veut qu'on ferme les barrières de ses prés, et qui n'est que haine déchaînée — et les paroles du braconnier que, revenant en retard, nous avons rencontré, poussé, le long de la haie, par l'orage menaçant et le vent rouge, vers la nuit d'août tombée, etc.[2] » Et dans la même lettre encore : « Je voudrais m'adresser à la campagne, comme les Goncourt à Paris : « O Paris..., tu possèdes... » Je veux au moins dire que si j'ai connu moins que les autres ces inquiétudes de jeunesse, ces angoisses sur mon moi, ce désarroi du déracinement, c'est que j'ai toujours été sûr de me retrouver avec ma jeunesse et ma vie, à la barrière — au coin d'un champ où l'on attelle deux chevaux à une herse... Et jamais plus que cette année de douloureuse sécheresse, je ne l'ai trouvée aussi compatissante, sympathisante... avec ses pardons pour ma fièvre, ses airs de connaître mon mal comme la lavande connaît les plaies, d'être accoutumée à moi comme je suis terrestrement accoutumé à sa compagnie[3]. »

Cette parenté avec les champs, que j'avais tout de suite sentie en lui, dont Jammes plus tard l'avait aidé à mieux prendre conscience, il commence à l'éprouver comme une incitation à créer.

1. Lettre du 3 septembre 1906.
2. *Ibid.*
3. Lettre du 3 septembre 1906. La dernière phrase est une allusion à un passage des *Muses* de Claudel.

Elle prend un sens positif, actif; elle veut se développer et se dire.

Aussi comme il est hostile à tout ce qui pourrait le séparer de sa terre et plus généralement du monde vivant, des êtres particuliers, de l'immense règne du concret! J'ai déjà noté plus haut sa répugnance, sa résistance à tout effort critique et l'espèce de mauvaise humeur avec laquelle il repoussait mes tentatives pour emprisonner le réel dans des formules. Elles vont croissant.

Contre un ami à qui il s'était confié et qui avait cru lui faire plaisir en reconnaissant et en étiquetant chaque trait de lui-même qu'il lui révélait, Fournier se révolte : «C'est moi-même qu'il veut à toute force comprendre et même réfuter. Je suis loin, moi, d'avoir la même ambition à son égard[1].»

Et en effet s'il écrit : «Le principal est évidemment mon horreur, ma frayeur d'être classé[2]», c'est vrai qu'il ne cherche jamais non plus à cerner, à classer, ni même à situer dans le plan intelligible, ni les autres, ni aucun aspect du monde : «J'ai le merveilleux pouvoir de sentir. Toutes choses ne m'ont été connues que par l'impression qu'elles laissaient sur mon cœur. Aussi ne les ai-je pas distinguées[3].»

Fournier aperçoit un inconvénient grave pour lui dans toute opération de discernement ou même d'abstraction; elle isole, elle brise un contact, pense-t-il. Et c'est de contact avec les choses, avec les gens, qu'il a d'abord besoin :

1. Lettre du 17-19 février 1906.
2. Même lettre. Et ailleurs : «Tous ceux qui ont voulu s'occuper de ma vie m'ont froissé.» (Lettre du 9 novembre 1906.) «Surtout il faut fuir ceux qui se prétendent vos amis, c'est-à-dire prétendent vous connaître et vous explorent brutalement.» (Même lettre.) «Qu'on me laisse ma cervelle à moi!» (Lettre du 29 janvier 1906.)
3. Lettre du 9 novembre 1906.

«Puisque l'ignorance qui accepte est à mon avis plus près de la vérité que n'importe quoi, et puisque, selon toi, l'ignorance est la source des émotions infinies (je n'avais pu formuler que par erreur une telle opinion que toute ma nature démentait), je te demande : Pourquoi ne pas se laisser aller tout de suite à cette ignorance-là[1] ? » Et dans la même lettre : « Ne rien — même au fond — mépriser. S'y fondre, s'y confondre, s'y mêler. Y conformer sa pensée. Et la perdre ailleurs, le lendemain. Il n'y a d'atroce dans la vie que notre, nos façons de la voir — quand nous y tenons. »

Au fond, c'est sa vocation de romancier qui se révèle à Fournier, déjà, au travers de son goût pour l'ignorance. S'il se dérobe à toute perception et à toute énonciation du général, c'est parce qu'il entend s'établir sur le plan même de la vie et dans une sorte de commun niveau avec les êtres particuliers.

« Il n'y a d'art et de vérité que du particulier[2] » écrit-il. Et déjà, bien plus tôt : « Je ne crois qu'à la recherche longue des mots qui redonnent l'impression première et complète. » « J'ai toujours désiré quelque chose qui touche (dans le sens de toucher à l'épaule), qui arrête et qui évoque[3]. » Et ailleurs encore : « Je puis, des années, avoir conçu les idées les plus claires, elles ne me sont rien tant que je ne les ai pas senti passer de mon intellect à cette partie de moi où les choses sont plus obscures et impossibles à exprimer sinon par l'énoncé difficile, ému, surhumain de tout leur détail[4]. »

1. Lettre du 19 février 1906.
2. Lettre du 23 septembre 1905.
3. Lettre du 15 août 1906.
4. Lettre du 21 avril 1906.

Il réclame le droit d'aller trouver chaque être, à sa place, sans aucune intention ni ambition préalables, et simplement pour l'y vivifier de son amour et de son imagination : « Je crois que toute vie vaut la peine d'être vécue. On les évalue, on méprise les unes, on glorifie les autres, parce que peut-être on en fait arbitrairement les parties d'un tout, d'une société, d'un monde idéal, qui n'a pas plus de raison d'être sous le soleil que tel ou tel autre[1]. »

Déjà l'on a vu comment il fait sortir et pour ainsi dire engendre au courant de la plume des personnages à la fois précis et mystérieux, que sa lettre m'apporte fragilement comme enrobés encore de sa prédilection. Il y aurait de longs passages exquis à citer.

Toute rencontre l'émeut, toute vie entr'aperçue ; il la reconstruit aussitôt, dans son paysage, sous sa lumière, avec sa vibration ; il s'attendrit sur elle, il épanche sur elle le flot de son admiration, pour mon goût un peu trop compatissante et aveugle. Je lui reproche de temps en temps son excès de sensibilité, que j'appelle sans ménagement de la sensiblerie. Il se gendarme, comme si je voulais tarir une source en lui.

C'est vrai, pourtant, à cette époque, qu'il a l'émotion un peu facile devant tout ce qui se présente avec humilité ou insignifiance ; les profondeurs qu'il veut y voir, je n'y comprends rien. Je suis froissé par sa tendance à tout transfigurer ; je ne sais pas y reconnaître ce don prodigieux qui est en train de lui venir, de rendre à chaque objet sa dose latente de merveilleux.

Lui, pourtant (c'est la seconde des découvertes

1. Lettre du 23 septembre 1905.

qu'il fait sur son talent), le sent déjà se former en lui et devine tout le parti qu'il pourra en tirer.

Ou plutôt il aperçoit, il sait que s'il lui faut rester en communion avec la vie particulière, ce n'est pas seulement pour la bien observer et la bien décrire; le naturalisme n'est pas son fait; l'enthousiasme que lui a donné un moment *Germinie Lacerteux*, est sans lendemain[1].

Autant qu'à l'abstraction, il répugne à la reconstruction littérale et intégrale de ses modèles. En fin de compte ce n'est pas du tout l'épaisseur des objets, ni même le volume des âmes qu'il va tâcher d'exprimer. Il n'en prendra que la plus mince pellicule, et tout de suite il leur fournira une autre chair, comme immatérielle.

L'opération est si particulière et si étrange qu'il faut alléguer le plus de textes possible pour la faire bien comprendre: «Ce pouvoir de ne sentir «des choses que la fleur» était devenu maladif, cette fin d'été douloureux, à force de subtilité. J'ai revu en rentrant ici le portrait idéal de la Beata Beatrix par Rossetti et l'impression idéalement exquise m'a immédiatement, inconsciemment et invinciblement suggéré les bords du Cher, que je n'ai pas vus depuis dix ans, avec leurs déserts de saules et de vase. Comment dire cela? C'est vertigineusement particulier. Cette odeur sauvage et unique et brutalement réelle et le regard idéal de Beatrix c'était, c'est encore tout un pour

1. «Ces jours-ci j'ai été amené à méditer sur le Réalisme. Je vois que c'est encore une formule à travers laquelle on examine le monde. Un peu de science et le plus possible de «vérités» médiocres et courantes: on bâtit le monde là-dessus et le tour est joué. Le principe du réalisme, c'est ceci: se faire son âme de tout le monde pour voir ce que voit tout le monde; car ce que voit tout le monde est la seule réalité. Je me demande comment nous avons pu tous nous laisser prendre à une théorie aussi grossière. Il est vrai que c'était un échelon.» (Lettre du 2 avril 1907.)

moi, pour je ne sais quelle fibre de mon cœur. — Arriver à reconstruire ce monde particulier de mon cœur qui ne sera compréhensible que quand il sera complet — où toutes les réalités, à cause du cœur où elles sont passées, seront pures comme des idées[1]. »

Donc lien, par suite de perception simultanée, du particulier et de l'idéal, autrement dit : sublimation immédiate, sans le secours de l'intelligence, de l'objet concret. Le résultat sera une transposition comme automatique de tout le spectacle abordé par l'esprit du romancier dans un monde quasi-surnaturel :

« Pour le moment je voudrais plutôt [que de Dickens ou des Goncourt] procéder de Laforgue, mais en écrivant *un roman*. C'est contradictoire ; ça ne le serait plus si on ne faisait, de la vie avec ses personnages, que des rêves qui se rencontrent. J'emploie ce mot rêve parce qu'il est commode quoique agaçant et usé. J'entends par rêve : vision du passé, espoirs, une rêverie d'autrefois revenue qui rencontre une vision qui s'en va, un souvenir d'après-midi qui rencontre la blancheur d'une ombrelle et la fraîcheur d'une autre pensée. — Il y a des erreurs de rêve, de fausses pistes, des changements de direction, et c'est tout ça qui vit, qui s'agite, s'accroche, se lâche, se renverse. Le reste du personnage est plus ou moins de la mécanique — sociale ou animale — et n'est pas intéressant.

« Ce que je te dis là semble l'énoncé de vérités séculaires et banales sous une forme tant soit peu différente.

« Mon idéal c'est justement d'arriver à rendre cette *forme*, cette façon d'énoncer la vie tangible

1. Lettre du 9 novembre 1906.

dans des romans, d'arriver à ce que ce trésor incommensurablement riche de vies accumulées qu'est ma simple vie, si jeune soit-elle, arrive à se produire au grand jour sous cette forme de « rêves » qui se promènent[1]. »

Aussi Fournier admire-t-il dans *Tess d'Urberville* « ces trois filles de ferme amoureuses, si simplement irréelles malgré les mille délicieux détails précis[2]... »

Ailleurs : « Mon credo en art : l'enfance. Arriver à la rendre sans aucune puérilité (cf. J.-A. Rimbaud), avec sa profondeur qui touche les mystères. Mon livre futur sera peut-être un perpétuel va-et-vient insensible du rêve à la réalité : « Rêve », entendu comme l'immense et imprécise vie enfantine planant au-dessus de l'autre et sans cesse mise en rumeur par les échos de l'autre[3]. »

Fournier instinctivement se solidarise avec ses perceptions les plus inintellectuelles, mais en même temps les plus constructives ; il veut conserver comme principal moyen de connaissance — et de création — ce regard de l'enfant qui prélève les plus impondérables éléments du monde et aussitôt les réagence, les combine merveilleusement, jusqu'à pouvoir loger dans le château qu'il en forme tout ce que l'âme petite et pesante, par-derrière, et souffre et désire.

Son irréalisme est foncier ; il en ferait presque un système déjà ; mais non ; c'est vraiment sa nature qui s'éveille et se trouve d'emblée tout occupée à l'illusion : « Je trouve que ce qui est difficile, c'est beaucoup plus de se donner partout

1. Lettre du 13 août 1905.
2. Lettre du 24 janvier 1906.
3. Lettre du 22 août 1906.

l'illusion complète de la beauté, ou plus généralement l'illusion[1]. »

Il le trouve «difficile», mais au sens de
«méritoire» seulement; car au contraire c'est
dans ce sens que fonctionne immédiatement,
spontanément, couramment son esprit.

L'exposé que nous avait fait notre professeur de
philosophie, M. Mélinand, de la théorie idéaliste
du monde extérieur, avait profondément frappé
Fournier; mais non pas comme une révélation
faite à son intelligence, comme une permission
plutôt donnée à tout son être d'apercevoir le
monde transparent, et modifiable par nos facul-
tés.

Lui qui tout à l'heure marquait tant de respect
pour les choses et semblait vouloir prosterner
devant elles sa pensée, ou l'y laisser se perdre,
c'est dans un mouvement plus sincère encore qu'il
s'écrie tout à coup: «Je me jouais du monde avec
la moindre de mes pensées[2]», et qu'après l'avoir si
religieusement adorée, il parle «d'une certaine
âme de ces campagnes... que j'invente tous les
jours un peu plus[3]».

On sait l'importance qu'a le mot «changer»
chez Rimbaud, et ce clin d'œil, qui a fait fortune,
par lequel il communique à tout spectacle un
aspect second. Il y a chez Fournier une disposition
analogue, non pas tout à fait des sens, mais de
l'âme, si j'ose dire. Encore une fois il n'est pas
directement poète, sa vision n'est pas assez
subversive; elle ne brouille pas assez les choses; il
n'entre pas assez de sens dessus dessous dans ce

---

1. Lettre du 22 janvier 1906. Cf.: «Je n'aurai derrière moi qu'un peu
de rêve très doux et très lointain, bien à moi, que je façonnerai comme
je voudrai.» Lettre du 13 août 1905.
2. Lettre du 9 décembre 1905.
3. Lettre du 4 octobre 1905.

qu'il a regardé. Mais il a une façon propre
d'ébranler les paysages et les êtres selon une
certaine pulsation comme amoureuse de son cœur
et de les mettre tranquillement en chemin, par ce
seul moteur, sur toutes les pentes du rêve.

Avec Rimbaud (je ne fais pas ici de comparaison de valeur), on a la sensation que toute
l'étrangeté du spectacle dépend d'un éclairage
venant du dehors, fourni par le regard du poète.
Fournier invente une manière de désorientation
plus complète, plus sournoise, par la sympathie.
Ce n'est pas en vain qu'il insiste, dans un des
passages que j'ai cités, sur le rôle du « cœur » dans
la transformation des choses en « idées ». Ce n'est
pas par hasard qu'il débute par cet attendrisse-
ment devant toutes choses, à la Charles-Louis
Philippe, qui me donna un peu sur les nerfs. « Ce
qui importe, c'est mon émotion, » écrit-il[1]. Parce
qu'il y distingue un moyen créateur et presque
métaphysique, une source de déplacement des
objets et comme l'origine de la procession qui les
transfigurera.

Se plaignant, un peu plus tard, d'une fausse
interprétation d'un de ses poèmes en prose, « il est
vrai, dira-t-il, que j'aime assez cette façon de se
tromper sur moi et de comprendre fantastique là
où j'ai voulu faire émouvant[2]. »

Oui, le fantastique, — mais qui n'est pour lui
qu'une réalité plus grande, plus essentielle du
monde perçu, — est bien la fin suprême, et le
résultat dernier, de toute sa dévotion sentimentale. C'est à produire un certain détachement sur
fond inconnu de la vie tout entière que tendent ses
admirations et ses apitoiements.

1. Le 22 janvier 1906.
2. Lettre du 31 décembre 1908.

Aux personnages de *Solness le Constructeur* il reproche une allure trop allégorique : « Je voudrais que la vie simple des personnages et celle des symboles fût plus mêlée. Je voudrais que *leur vie* fût un symbole et non pas *eux*... Je voudrais que la vie s'éclairât sans qu'on y pense, rien qu'à vivre avec eux[1]. »

Le don qu'il se découvre est ici défini dans sa simplicité même, sous la forme où il défie l'analyse. C'est le don d'illumination, au sens actif du mot, le don d'allumer au sein des êtres et des choses, sans en rien prendre de plus que « ce premier coup d'œil qui dit tout », une sorte d'absence d'eux-mêmes et de vacance sur l'infini, — une clarté timide faite de leur subite aliénation. Tout dérive, tout s'en va sous son regard, tout se donne, en silence et sans drame, à l'abîme. « La vie s'éclaire sans qu'on y pense. » Sa ténuité laisse entrevoir de pâles foyers ravissants. Le monde est « joué » avec « une seule pensée ».

III

On peut se demander pourquoi Fournier qui semblait, ainsi, dès 1907, si bien au fait de ses tendances et de ses dons, dut attendre encore plusieurs années avant d'en trouver le véritable usage et avant d'entreprendre *Le Grand Meaulnes*.

C'est d'abord qu'il rencontra de nombreux empêchements matériels.

En octobre 1906, il s'était installé à Paris avec sa grand-mère et sa sœur et était entré, comme

1. Lettre du 17 février 1906.

externe, en rhétorique supérieure à Louis-le-Grand. Et comme il voulait cette fois, à tout prix, réussir au concours de l'École Normale, il avait dû suspendre complètement son activité littéraire.

Ses incursions dans le domaine qu'il s'était défendu, se bornèrent, cette année-là, à une prise de contact avec le groupe de *Vers et Prose*, qui nous paraissait, à ce moment, résumer tout ce qu'il y avait de vivant en littérature. Fournier fut présenté un soir, au Vachette, par des amis, à Paul Fort, à Moréas, à Adolphe Retté. J'ai gardé et je publierai peut-être un jour le récit homérique de la nuit qu'il passa avec eux et dont il ne sortit pas sans quelques désillusions. Il devait pourtant nouer plus tard des relations amicales avec Paul Fort, qui a dédié à sa mémoire un admirable poème.

Malgré tous ses efforts, handicapé d'ailleurs par une fatigue cérébrale qui l'avait afflige au dernier moment, Fournier, admissible à l'écrit, ne put réussir à l'oral du concours. Ainsi lui fut fermée définitivement une porte qu'il était fou, quand j'y repense, de s'attendre à voir jamais s'ouvrir devant cet esprit trop sensible, trop imaginatif, et qui ne trouvait jamais faciles que les chemins inexplorés.

Le service militaire le guettait. Il ne put profiter du régime des «dispenses» qui venait d'être supprimé, et dut faire deux ans, avec préparation obligatoire du métier d'officier. Ce fut une nouvelle restriction à son essor d'écrivain: comme il n'avait jamais de loisirs qu'imprévus et fort courts, il ne put travailler pendant cette période qu'à des contes et à de brèves esquisses.

Pourtant, ce temps d'esclavage ne fut pas sans lui apporter de secrets enrichissements; il l'employa à explorer la vie de cette façon étrange et délicate que j'ai tâché de définir, et à en extraire ce minerai subtil qu'elle recelait pour lui, dont lui seul savait repérer les filons.

Pour la première fois il entrait en contact intime, familier, avec les gens du peuple, et non plus seulement avec les paysans, avec les ouvriers aussi : il les aima, fermant les yeux à leurs défauts. Il sentit l'immense misère et le charme enivrant de la camaraderie militaire. Il traversa à pied, de la seule allure qui permette d'y adhérer vraiment, une foule de pays nouveaux ; il apprit la France, pas à pas ; les environs de Paris d'abord, puis la Brie, la Champagne, Mailly, puis la Touraine, puis la région de Laval, où il fut élève-officier, enfin le Gers et les Pyrénées, — car il fut envoyé, pour ses six derniers mois, comme sous-lieutenant, à Mirande.

Mirande me paraît marquer un moment important du développement de Fournier : le moment — comment bien le définir ? — où sa nostalgie déborde. Jusque-là elle avait été quelque peu contenue et comme canalisée par ses admirations littéraires : la voici tout à coup qui jaillit droite, à l'état pur, du fond de son âme. Le souvenir de son amour, qui, à mon avis, dans son essence, comme je l'ai déjà d'ailleurs insinué, était la simple fixation d'un mal plus vague et plus profond dont il souffrait de naissance, revient à cet instant le traverser d'une manière tout particulièrement douloureuse. Le jour anniversaire de sa rencontre avec la jeune fille du Cours-la-Reine, il m'écrit : « Je reste tout ce jour enfermé dans ma chambre pour souffrir plus à l'aise. Depuis des semaines ceux qui me touchent la main savent que j'ai la fièvre. La fatigue même ne me fait plus dormir. La joie secrète de ces temps derniers est finie ; maintenant il faut lutter contre la douleur infernale. Comment traverserai-je tout seul cette fête à laquelle je ne suis pas convié ? De grand matin le soleil est entré dans l'appartement par toutes les fenêtres et m'a réveillé ; le serviteur a tout préparé durant la nuit, les haies de roses, la route brûlante..., pour quelque grand anniversaire mystérieux ; et au moment de révéler à tous le secret de sa joie, il trouve son maître seul et en larmes et abandonné[1]. »

Oserai-je entrer dans le vif d'un caractère ? — Pour Fournier, le moment de la plus complète privation est aussi celui de la plénitude intérieure. Il ne faut pas que sa souffrance, qui est réelle, nous fasse illusion. Fournier n'est lui-même et ne trouve toutes ses forces que dans l'instant où il se sent vide de tout ce dont il a pourtant besoin.

Il y a ici quelque chose d'infiniment subtil que peut-être je ne réussirai pas à faire comprendre. Tâchons seulement de le revoir dans cette petite ville méridionale dont la grand-route, en la traversant, forme la seule rue. Au loin, les Pyrénées aiguës sont encore blanches. Le printemps chauffe pourtant déjà les maisons basses et a fait sourdre dans tous les jardins de grandes nappes de fleurs. Il est dix heures ; Fournier revient de l'exercice, retrouve sa chambre au premier étage de la « Maison Hidalgo », sa table devant la fenêtre ouverte. Un seul livre est posé devant lui : *L'Idiot* de Dostoïevski : mais bientôt viendront s'y ajouter l'Évangile, la Bible et *L'Imitation* qu'il ira demander à l'aumônier de l'Hôpital.

Il a vingt-trois ans ; il n'a pas su encore « se faire une situation » ; il sent très bien jusque dans ses mains, une sorte de maladresse à forcer la vie ; la

1. Lettre datée du jeudi de l'Ascension 1909.

44

dextérité, l'étude et la patience lui font irrémédiablement défaut. Il n'est pas sans aucun désir du bonheur ; mais il le voit si difficile !

Alors — c'est ici que son caractère devient complexe et singulier — il se sent pris à la fois de désespoir et d'audace ; au lieu de rien résigner, il demande tout. Sachant bien qu'il ne l'obtiendra pas, c'est un trésor qu'il exige, qui lui est dû.

Cela ne va pas sans larmes et sans abattements. Qui saurait arriver au bon moment et lui poserait sans rien dire la main sur le front, quels fiévreux sanglots ne déchaînerait-il pas[1] !

Mais cette âme est jeune encore et avide et il faut qu'elle se fasse grande de tout ce qui lui est refusé, de toutes ses déceptions, de toutes ses impuissances : ce qu'elle n'a pu saisir, ce qu'elle ne saisira pas, fleurit en elle tout à coup, irréel et présent.

Jamais peut-être homme ne rêva semblablement la vie ; son imagination comble au fur et à mesure toutes les lacunes que son exigence y détermine ; sur ce monde, qui ne se laisse approcher et goûter un peu que par la ruse, qu'il sent donc inassimilable, elle projette, comme vengeance, son immense et douloureux reflet.

Fournier, si doux, si tendre, si facile à toucher, avait en même temps une espèce de cruauté envers les êtres. Il se mettait de chacun à attendre un certain nombre de joies définies, mais se gardait bien d'en rien dire ; et si elles lui étaient refusées, c'est presque avec triomphe qu'il consta-

1. Il écrivait un peu plus tard (le 13 septembre 1910) : «Pour la dixième fois peut-être j'organise ma vie comme certain soir de mon enfance. Ce soir-là, j'avais fait une tache sur une page longuement travaillée et je me disais : «Ma foi, j'aimerais autant que mon père déchire la page, et je la recommencerais» ; — mais quand il est venu et qu'il l'a déchirée, ç'a été une crise de sanglots et de désespoir. — Tel est en ce moment mon genre de satisfaction.»

tait le manquement et déclarait sa déception, — et
ne pardonnait pas.

« Seules les femmes qui m'ont aimé peuvent
savoir à quel point je suis cruel[1]. » Il les appelait,
les invitait, mais aussitôt leur prescrivait menta-
lement un certain angle sous lequel elles avaient à
entrer dans sa vie, un certain rôle qu'elles y
devaient jouer. Et à la moindre faute qu'elles
commettaient, au moindre lapsus, il les accablait
de reproches, leur racontait méchamment, en
détail, tout ce en quoi elles étaient défaillantes à
son idéal.

Je ne veux pas du tout noircir ici mon ami. Il ne
disconvenait pas lui-même, on le voit, de cette
dureté. Je veux seulement aider à comprendre le
caractère actif, presque agressif de sa nostalgie,
— et cette violence qui était au fond.

Je veux aussi faire épouser le mouvement qui,
pendant ce même séjour à Mirande, l'entraîna si
fortement vers le catholicisme. L'origine en
remonte d'ailleurs à 1907. Dès ce moment, Fournier s'était trouvé en butte à des sortes de
tentations, qui venaient par accès :

« Désirs d'ascétisme et de mortifications : vieux
désirs sourds.

Désir de pureté. Besoin de pureté. Jalousie
poignante et saignante.

Vous vous seriez endormis et satisfaits dans le
catholicisme.

— Insatisfaction éternelle de notre grande âme
(Gide, Laforgue).

Amours sans réponse pour tout ce qui est.

Sympathies sans réponse avec tout ce qui
souffre.

1. Lettre du 28 septembre 1910.

46

Vide éternel de notre cœur, le catholicisme vous eût comblé.

— Ambitions jamais lasses, ambitions de conquérir la vie et ce qui est au-delà.

Votre douleur se fût calmée et votre gloire exaltée à la promesse qu'on vous eût faite du Paradis de votre cœur et de ses paysages[1].»

Mais à ce moment (il est sous l'influence de Gide) la religion ne lui apparaît qu'à la façon de ces oasis dont c'est toujours « la suivante » qui est « la plus belle ». Il la poursuit comme un lieu possible de repos, mais sans désir profond de l'atteindre.

A Mirande, la tentation a pris corps ; le catholicisme est présent, comme un ange multiple et voilé, à toutes les portes de son âme. Dans un poème en prose dont il trace à ce moment l'esquisse, il se représente sous les traits de « l'adolescent de la nuit, du veilleur aux colombes ». « Et tandis que les autres ont connu le triomphe mystérieux dans le pays nouveau qui était comme l'expansion de leur cœur, lui, comme dans une tour, a senti monter vers lui ce paysage inconnu. Chaque jour cela gagne et cela déferle comme une énorme vague. Chaque jour sur un papier, comme un homme perdu, il décrit les progrès de l'inondation mortelle. Dans sa vie très simple, chaque fois quelque chose de monstrueux, tant cela est pur et désirable, se glisse comme une parole incompréhensible dans les discours de celui qui va devenir fou. Enfin une nuit, au plus haut de sa tourelle, alors qu'en bas et jusqu'à l'horizon fulgure la vie de la Joie inconnue, il comprend que la vraie joie n'est pas de ce monde, et que pourtant elle est là, qu'elle ouvre la porte et

1. Lettre du 26 janvier 1907.

47

qu'elle vient se pencher contre son cœur. Alors il meurt, en écrivant quelque chose, un nom peut-être, qui n'est pas encore décidé — et sur chaque barrière des champs d'alentour (redevenus terrestres), un enfant est perché, en robe blanche, les pieds pendants, et souffle dans une flûte d'or, à intervalles réguliers[1]. »

Que cette métaphore n'aille pas faire croire que la crise se passe pour Fournier dans le plan purement littéraire. Il va à Lourdes et en rapporte une grande émotion ; il cherche à s'instruire du dogme ; il m'écrit : « Si tu as cru que mon amour était vain et inventé, si tu as cru que je passais un seul jour sans en souffrir, et si, cependant, tu n'as pas vu que depuis trois ans la question chrétienne ne cessait de me torturer — certes tu m'as méconnu — certes tu t'es beaucoup trompé. Si je puis entrer tout entier dans le catholicisme, je suis dès ce moment catholique[2]. »

Quand j'essaie d'imaginer ce que la religion pouvait représenter pour Fournier à cet instant : une force toute faite, me dis-je, pour le porter au-delà de ce qu'il ne pouvait maîtriser ; cette résistance qu'offre la vie quand on l'aborde avec de grands désirs et une insuffisante application d'esprit, il voyait, pour la vaincre, ce grand train de dogmes et de prières. Son émotion religieuse (« Il n'y a pas de mots pour ces larmes ») venait après « combien de démarches dans les ténèbres[3] ! ».

On lui promettait l'effraction des trésors qu'il ne savait pas solliciter. C'est à un pillage magique du monde qu'il se sentait convié.

1. Lettre du 26 juillet 1909.
2. Lettre du 11 mai 1909.
3. Lettre du 2 juin 1909.

48

Ou, si l'on veut, la façon dont le monde, par le christianisme, «s'éclaire sans qu'on y pense» devait être pour lui d'une immense attraction. «Ce qui me séduit terriblement, écrira-t-il un peu plus tard, dans les livres sacrés, c'est la simplicité du mystère qu'ils révèlent. À chaque page, l'éclosion terrestre de l'événement merveilleux me trouve aussi passionnément crédule que l'épanouissement d'une fleur au cœur du pré de juin. Il n'y a pas moyen de ne pas croire tant cela est vrai et séduisant[1]. »

Une certaine immédiateté du prodige, la parenté du surnaturel avec l'humble vie quotidienne, sa ressemblance avec les événements de tous les jours : voilà ce qu'il reconnaît comme sien dans le christianisme et ce qui le transporte. Dans la même lettre il m'écrit encore parlant de l'Évangile : «C'est la perfection de mon art, le baiser de mon amour, la consolation de ma peine, l'exaltation de ma joie. Ce n'est pas, comme je l'ai cru..., le livre de la pureté, écrit pour les anges : c'est une réponse inépuisable à toutes mes questions d'homme — c'est comme une auberge, dont parle Jammes, une auberge bleue où je me suis assis sale et fatigué ; et, sur le coup de midi, je m'aperçois qu'elle m'a porté au Paradis, où elle vient de s'envoler, les ailes repliées[2]. »

On voit dans *Madeleine*, qui est à mon avis la première réussite positive de Fournier, une expression de tout ce qu'il recevait à la fois et pêle-mêle, à ce moment du christianisme. On sent son inquiétude, sa charité, son impatience (à une certaine façon de bousculer, de retourner les paysages), et la lueur que l'au-delà laisse filtrer

1. Lettre du 4 avril 1910.
2. Lettre du 4 avril 1910.

jusqu'à lui. Il y a de la pitié, de la dureté, du désir, beaucoup d'enfantillage encore, dans ces pages, et pourtant une force de rêve, un besoin de s'arracher aux lois physiques qui atteignent presque au drame.

De même, dans les petits poèmes en prose qui suivent, et qui sont construits sur des impressions de grandes manœuvres[1]. On y respire déjà quelque chose de ce malaise si pur qui fera le charme incomparable du *Grand Meaulnes*; il y veille une grande peine cachée, mais qui n'accable pas l'âme, qui la laisse active et vagabonde; et sans cesse la même lampe s'allume au sein de la nuit, — la même promesse diaphane, le même visage limpide et sans péché.

Pourtant il ne faut pas nous dissimuler qu'il manque encore quelque chose à ces premiers essais en prose d'Alain-Fournier, non seulement pour qu'ils nous émeuvent profondément, mais même pour qu'ils ressemblent tout à fait à leur auteur et portent une marque indiscutablement originale.

Lui-même n'est pas sans le sentir, sans s'en inquiéter. J'ai dit que le service militaire l'avait empêché de s'attaquer, dès 1907, à une œuvre de longue haleine. Il faut corriger cette affirmation. Tous les obstacles qu'il rencontra, n'étaient pas extérieurs; il luttait aussi contre une certaine faiblesse, ou erreur de son talent, qu'il n'arrivait pas à se bien définir.

Dans presque toutes ses lettres, depuis 1907, il me parlait du *Pays sans nom*; tout ce qu'il écrivait s'y rapportait, devait en faire partie; mais ce n'en étaient jamais que des morceaux, et sans lien,

1. Il fit les manœuvres d'armée qui eurent lieu aux environs de Toulouse en septembre 1909 et fut libéré aussitôt ensuite.

qu'il parvenait à réaliser ; l'œuvre ne « venait » pas dans son ensemble.

Le *Pays sans nom*, c'était le monde mystérieux dont il avait rêvé toute son enfance, c'était ce paradis sur terre, il ne savait trop où, qu'il avait vu, auquel il se voulait fidèle toute sa vie, dont il n'admettait pas qu'on pût avoir l'air de suspecter la réalité, qu'il se sentait comme unique vocation de rappeler et de révéler.

Le *Pays sans nom*, c'était, à ce moment, dans son esprit, non pas le germe, mais la fleur trop épanouie, impossible à force d'extension et de fragilité, de ce qui plus tard, dans *Le Grand Meaulnes*, devait s'appeler : le Domaine mystérieux.

Il cherchait à l'évoquer directement, par les seuls prestiges de la poésie ; il voulait y transporter sans avertissement son lecteur, l'y faire s'éveiller comme Meaulnes enfant, un jour, s'éveilla dans la « Chambre verte ».

Aussi répudiait-il tout secours matériel, tout moyen épisodique et concevait-il sa tâche comme celle d'un pur enchanteur.

Mais justement c'est là qu'il trébuchait. Plus il serrait de près sa vision, plus il mettait à son service des phrases et des images qui l'avoisinaient, plus il voulait utiliser, pour l'exprimer, son émanation propre et le halo dont elle s'entourait, plus il cherchait, à son usage, de ces mouvements muets qui partent du cœur et glissent comme des anges — et plus aussi il la sentait s'affaiblir, s'épuiser.

Son découragement, devant cette déception de ses efforts, eut, à certains moments, un caractère tragique. Il m'écrivait : « Peut-être que moi-même j'en suis déjà à la deuxième partie de l'*Esprit Souterrain* — le moment où l'on aperçoit que peut-être on ne répondra pas au crédit qui vous fut accordé; le moment de la banqueroute et du « lébédévisme[1] ». C'est ici qu'il faudrait de l'aide. Mais à qui s'adresser ? »

Heureusement cette fois je ne lui fis pas défaut. Nous eûmes ensemble, pendant l'hiver qui suivit sa libération et qui nous trouva réunis à Paris, des conversations capitales, au cours desquelles je l'aidai à débrouiller les embarras qui paralysaient son talent. Lui-même d'ailleurs fit preuve dans cette enquête d'une extraordinaire intelligence technique et finit par saisir le problème avec tant de lucidité qu'il en força la solution. Car il avait beau mépriser l'abstraction et les formules : il savait admirablement raisonner sur son art et en découvrir les lois cachées.

Notre étude porta essentiellement sur la valeur du Symbolisme et nous conduisit à mettre en jugement, et même en accusation, ce qui avait été jusque-là l'objet de notre culte.

Un mot d'André Gide nous avait beaucoup frappés et travaillait depuis quelque temps déjà notre esprit : « Ce n'est plus le moment d'écrire des poèmes en prose », m'avait-il déclaré en me remettant un essai de Fournier que je lui avais fait lire. Nous nous étions révoltés contre ce décret dont la sévérité nous paraissait affreuse ; mais en même temps nous avions réfléchi et le sens en avait pénétré profondément dans notre pensée et l'avait émue.

Nous distinguions maintenant, dans cette partie de nous-mêmes qui s'éprouvait créatrice, ce que Gide avait voulu dire : une impuissance, en effet,

1. Lettre du 22 mars 1910. Cf. le 28 août : « Il y a plus de courage et de travail à dépenser pour écrire un premier livre qui soit un livre, qu'il en faudrait à un homme ignorant pour construire tout seul une maison. »

se trouvait correspondre en nous au genre qu'il avait condamné — une impuissance qu'il nous fallait bien à la fin reconnaître.

Le poème en prose, tel que le Symbolisme nous l'avait enseigné, était devenu, par la simple faute des années, un instrument entre nos mains complètement inefficace et ne pouvait plus nous permettre aucune prise sur la sensibilité d'autrui. Il avait quelque chose de trop tacite; de tous les éléments qu'il ordonnait à son auteur de sous-entendre sous peine de grossièreté, il ne se pouvait pas qu'à la fin l'émotion du lecteur ne se trouvât pas diminuée; il dispensait de trop de choses pour qu'en le lisant on ne se sentît pas dispensé aussi d'en être touché.

Et du même coup une lumière éclatante jaillissait, qui nous montrait le chemin. Fournier l'aperçut le premier et la suivit: il fallait rompre avec le Symbolisme et avec tout l'arsenal trop « mental » qu'il proposait; il fallait sortir de l'esprit et du cœur, saisir les choses, les faits, les amener entre le lecteur et l'émotion à laquelle on voulait le conduire: « Ce qu'il y a de plus ancien, de presque oublié, d'inconnu à nous-mêmes — c'est de cela que j'avais voulu faire mon livre et c'était fou. C'était la folie du Symbolisme. Aujourd'hui cela tient dans mon livre la même place que dans ma vie: c'est une émotion défaillante, *à un tournant de route, à un bout de paragraphe*[1]... ».

Fournier découvrait cette fois son aptitude et sa force véritables: il se comprenait romancier. Il échappait d'un seul coup à la rêverie, à cette vague intimité avec lui-même où il s'était si longtemps complu et dans laquelle son manque de lucidité intérieure lui interdisait de faire des

1. Lettre du 28 septembre 1910.

progrès. Il replaçait la vie avec tous ses accidents devant ce songe qu'il avait vainement essayé de modeler directement et il ne comptait plus que sur des faits, que sur des gestes scrupuleusement décrits pour faire entrevoir celui-ci à son lecteur, « à un tournant de route, à un bout de paragraphe ».

« Je travaille, m'écrivait-il[1]. J'ai parfois de grands désespoirs. Je renonce à beaucoup d'impossibilités. Je travaille simultanément à la partie imaginaire, fantastique de mon livre et à la partie simplement humaine. L'une me donne des forces pour l'autre. Mais sans doute faudra-t-il que je renonce à la première : La seconde va tellement mieux et il faut que le *Jour des noces* (titre qui avait succédé dans son esprit au *Pays sans nom*) soit avant peu terminé[2]. »

Et peu de temps après :

« Je travaille terriblement à mon livre... Pendant quinze jours je me suis efforcé de construire artificiellement ce livre comme j'avais commencé. Cela ne donnait pas grand-chose. À la fin j'ai tout plaqué et... j'ai trouvé *mon chemin de Damas* un beau soir. — Je me suis mis à écrire simplement, directement, comme une de mes lettres, par petits paragraphes serrés et voluptueux, une histoire assez simple qui pourrait être la mienne... Depuis ça marche tout seul[3]. »

Écrire une histoire, combiner ce piège où la curiosité se prend ; faire agir sur le lecteur cet infaillible instrument d'intérêt qu'est l'événement ; au lieu d'allusions, de tentatives directes sur sa sensibilité, l'impliquer dans une suite

1. Lettre du 24 août 1910.
2. Lettre du 24 août 1910.
3. Lettre du 20 septembre 1910.

54

organisée de péripéties, aussi naturelles que possible : tel est le programme que Fournier tout à coup se propose et à la réalisation duquel il sent que toutes ses forces vont enfin pouvoir harmonieusement s'employer.

Car si éloigné semble-t-il, à première vue, de celui qu'il avait d'abord envisagé, si modeste puisse-t-il paraître à côté de sa première ambition poétique, l'étonnant, et ce qui va l'émerveiller lui-même, c'est que, dans les premiers morceaux qu'il écrit en s'y conformant, « il y a *tout* quand même, *tout moi* et non pas seulement une de mes idées, abstraite et quintessenciée[1] ».

En somme nous voyons ici Meaulnes et Seurel, et l'école de Sainte-Agathe surgir du domaine des Sablonnières, s'en détacher à notre rencontre et venir nous prendre par la main pour nous y conduire plus sûrement. Je ne pense pas qu'on ait jamais assisté dans l'histoire des lettres à une pareille génération du concret par l'abstrait, du réel par l'imaginaire, d'êtres vus par des êtres rêvés — ni à la fécondation en retour du plan originel par le plan engendré. Car c'est à partir du moment où il s'en écarte et où il nous en écarte, que le rêve de Fournier se met enfin à vivre. Il suffit qu'il nous repousse loin de lui pour que naisse la force qui nous attirera vers lui. Il suffit qu'il ne veuille plus de nous que comme de spectateurs relégués derrière une rampe, pour que tout ce qui se passait en lui et laissait notre attention languissante, prenne un mystère et un attrait imprévus : il n'exprimera plus rien de ce qu'il porte et de ce qui l'agite, mais les chemins qu'il bâtit de nous à lui nous appelleront invinciblement et, nous amenant au bord de son âme,

1. Lettre du 20 septembre 1910.

nous contraindront à jamais à la deviner de tout notre amour.

À cette transformation de son premier dessein Fournier fut assurément poussé par une nécessité intérieure, mais par certaines influences aussi, qu'il faut noter : les principales furent celles de Marguerite Audoux, de Stevenson, et, dans une certaine mesure, de Péguy.

Marie-Claire avait déchaîné en lui un enthousiasme que l'exquise qualité du livre ne pouvait suffire à expliquer : il y voyait sans aucun doute briller de ces trésors que les créateurs seuls distinguent, parce qu'ils sont à moitié virtuels et n'existeront tout à fait qu'une fois repris par eux et exploités.

Fournier a essayé de dire lui-même quelle sorte de nouveauté et d'enseignement il apercevait dans *Marie-Claire* : « Tel est l'art de Marguerite Audoux : l'âme, dans son livre, est un personnage toujours présent, mais qui demande le silence. Ce n'est plus l'Ame de la poésie symboliste, princesse mystérieuse, savante et métaphysicienne. Mais, simplement, voici sur la route deux paysans qui parlent en marchant : leurs gestes sont rares et jamais ils ne disent un mot de trop ; parfois, au contraire, la parole que l'on attendait n'est pas dite et c'est à la faveur de ce silence imprévu, plein d'émotion, que l'âme parle et se révèle[1]. »

En d'autres termes, Fournier admirait la façon dont Marguerite Audoux avait su insérer ses émotions dans un simple récit ; le renoncement au lyrisme pur, qu'il venait de consommer pour

1. Note sur *Marie-Claire* dans *La Nouvelle Revue Française* du 1er novembre 1910, page 617.

sa part, il le voyait ici produire tous les merveilleux effets qu'il en espérait : le silence lui-même,
pourvu qu'il fût bien ménagé, et succédât à
quelque geste bien noté, pouvait parler, pouvait
chanter même. Il n'y avait donc, à se taire, ou
plutôt à s'effacer derrière une histoire, que des
avantages. L'Âme « métaphysicienne », inspira-
trice du Symbolisme, devait céder la place à
l'âme ignorante et sans voix, celle qui se raconte
par les faits.

Le Miracle des trois Dames de Village, au
moment où *La Grande Revue* le publia (août
1910), apporta à Fournier une déception : « Mes
dames de village sont parues hier, m'écrivait-il[1].
On n'a pas gardé les italiques qui enveloppaient
plus doucement le texte et lui gardaient un air de
poème. Écrit ainsi en romaine, il a l'air d'un
mauvais conte et je ne le relis pas sans agace-
ment. Moralité : Écrire des contes qui ne soient
pas des poèmes. »

Et en effet *Le Miracle de la Fermière*, qu'il
composa tôt ensuite, est un conte bien caracté-
risé, mais où justement se marque très nettement
l'influence de *Marie-Claire*. On y déchiffre à vue
d'œil ce que Marguerite Audoux lui avait entre-
temps enseigné, ou plutôt ce qu'elle lui avait
révélé de ses propres aptitudes, à l'exercice de
quels dons elle l'avait encouragé.

Comparés à ceux des *Dames de Village*, les
paysages du nouveau « miracle » se sont faits à la
fois plus humains et plus insaisissables ; ils
débordent à peine l'action ; ils en naissent plutôt
et n'en forment, à la façon de la douce traînée des
bolides, que le sillage : « Ce fut une belle promenade en voiture, par les chemins de traverse.

1. Lettre du 11 août 1910.

Nous nous enfoncions, par instants, sous les branches des haies, et les roues grinçaient dans le sable fin des ornières. Françoise disait qu'il lui semblait, dans les allées d'un immense jardin, voyager sous les arbres. »

On retrouve aussi cette façon discrète, pure et solennelle, de faire parler les paysans, que Marguerite Audoux avait inventée — et plus généralement le même sens que chez elle de la grandeur des mœurs paysannes.

Aussi ce choix exquis des détails qui permet de peindre sans adjectifs et de donner au lecteur des sensations comme immatérielles : « C'était Beaulande. Nous l'entendîmes, au bout du sillon, gourmander lentement son attelage et arrêter, derrière la haie, la charrue, qui fit un bruit de chaînes. »

Enfin les quelques rares effusions de l'auteur dans son récit sont pareillement amenées, et gardent la même retenue, ici et dans *Marie-Claire* : « Je connaissais ce grand chant du labour, dont on ne peut jamais dire s'il est plein de désespoir ou de joie, ce chant qui est comme la conversation sans fin de l'homme avec ses bêtes, l'hiver, dans la solitude. Mais jamais l'homme qui chantait, de cette voix lente et traînante comme le pas des bœufs, ne m'avait paru si désespéré d'être seul. »

Il y a pourtant, dans *Le Miracle de la Fermière*, quelque chose de plus formé, de plus serré que dans *Marie-Claire*. Marguerite Audoux s'était contentée de juxtaposer ses souvenirs, d'émouvoir doucement, à petits coups, la cloche voilée de sa mémoire. Fournier, lui, cerne déjà un événement, le circonscrit, le cultive, lui fait produire tous les « effets » dont il est susceptible. Son récit est construit; il crée une attente, une inquiétude, une surprise; il se dénoue.

En d'autres termes (il faut se souvenir qu'il fut écrit parallèlement au début du *Grand Meaulnes*), c'est déjà le récit d'une aventure; c'est un roman d'aventures en raccourci.

Et en effet l'évolution de Fournier se poursuit bien au-delà de Marguerite Audoux; il a reçu d'elle une impulsion au passage, mais il la transforme, l'utilise pour des buts nouveaux; maintenant qu'il s'est décidé à produire sous les yeux du lecteur une «action» proprement dite, il cherche à l'agencer avec toute la perfection mécanique possible.

Il faut noter ici la grande impression que les commencements de l'aviation et les premiers vols au-dessus de Paris produisirent sur son esprit: «Samedi dernier, à 7 heures et demie, une clameur terrible — faite d'acclamations — est montée de la rue tandis que je terminais mon courrier à *Paris-Journal*. Un instant, avec Le Cardonnel nous avons — comment dire — «supporté» cela sans vouloir y prendre garde. Puis nous sommes allés à la fenêtre. Un monoplan, en plein ciel, au-dessus de nous passait. Pour la seconde fois j'ai regardé *cela*, au-dessus de Paris, avec une émotion sans mots[1].»

Et ce n'était pas l'émotion, simplement, de voir un homme voler; il percevait, entre l'engin savant et diaphane qui traversait le ciel et le livre qu'il s'appliquait à construire, une ressemblance secrète. «Dans un cas, m'expliquait-il, le prodige, la révélation d'un monde nouveau se produit grâce à une combinaison de toiles tendues et de cordes; dans l'autre, grâce à une

1. Lettre du 11 août 1910.

« disposition » d'esprit, à une combinaison de sentiments divers, à un choc moral. — De plus en plus mon livre est un roman d'aventures et de découvertes[1]. »

Avec la minutie d'un ingénieur, Fournier se mit, vers cette époque, à façonner et à monter les pièces de l'appareil avec lequel il voulait enlever son lecteur et le transporter dans le domaine mystérieux. Il tendit des toiles, installa des commandes ; les chapitres se répondirent, s'enchevêtrèrent ; un long fuselage de menues circonstances étroitement charpentées s'échafauda, dans lequel le lecteur ne devait plus avoir qu'à s'asseoir, en simple passager.

Pour égarer Meaulnes valablement et le conduire sans à-coups jusqu'à l'allée de sapins des Sablonnières, d'innombrables idées vinrent à l'esprit de Fournier, entre lesquelles il choisissait avec lenteur, avec complaisance et avec un infaillible discernement. Il nous fit participer, sa sœur et moi, à cette progressive élaboration d'un mystère, que nous sentions devant nous en même temps s'épaissir que se justifier.

Il n'était jamais satisfait sur les questions de vraisemblance. Cet ami du songe ne cherchait plus maintenant qu'à le rendre le plus naturel possible en en établissant toutes les causes et conditions. Car, disait-il, « je n'aime la merveille que lorsqu'elle est étroitement *insérée* dans la réalité. Non pas quand elle la bouleverse ou la dépasse[2]. »

Dans ce nouvel effort il fut aidé surtout par Stevenson. Jacques Copeau nous avait révélé *L'Ile au trésor*. J'avais lu avec enchantement ce

1. *Ibidem.*
2. À propos de Wells : lettre du 1er septembre 1911.

gracieux chef-d'œuvre, mais Fournier avec émotion et reconnaissance : il y trouvait, comme dans *Marie-Claire*, un secours et une incitation.

Il absorba en quelques mois l'œuvre tout entier du délicieux Anglais. *Enlevé, Catriona, Le Reflux* et aussi *Les Nouvelles Nuits arabes* le ravirent. Il s'imprégnait de l'art insaisissable avec lequel Stevenson dispose les événements pour notre meilleure surprise, sans jamais devenir rocambolesque ; il lui empruntait des plans subtils pour l'aménagement de son propre alérion.

Et sans doute aussi était-il séduit par une atmosphère, à coup sûr bien différente de celle de *Marie-Claire* et de celle qu'il s'appliquait lui-même à créer, mais pareillement limpide, pareillement exempte de lourdeur et de miasmes.

La poésie de l'action, c'est encore ce que Fournier distinguait et aimait chez Stevenson. Tous ces héros en mouvement, en aventure, et qu'entraînaient le seul goût du risque, le seul refus, tacite d'ailleurs et sans emphase, des conditions normales de la vie, plaisaient à son secret et discret romantisme, et venaient nourrir en lui la veine d'où allait sortir le personnage de Frantz de Galais.

Mais Stevenson ne fut pas le seul encouragement que trouva Fournier à composer un roman d'aventures, une machine où son rêve apparût capté — et nécessaire. Si bizarre que puisse paraître cette convergence, Péguy l'avait engagé, depuis quelque temps déjà, dans la même voie.

Il y aurait toute une étude, presque un roman, à écrire sur les relations de Fournier avec Péguy. Ils firent connaissance au printemps de 1910. Fournier avait lu avec enthousiasme *Notre jeunesse* et avait rédigé pour *Paris-Journal*, où il venait d'ouvrir un courrier littéraire, un petit portrait de Péguy. Puis : « Je viens de lire *Le Mystère de la Charité de Jeanne d'Arc*, m'écrivait-il en août. C'est décidément admirable. Je ne crains pas de le dire... J'aime cet effort, surtout dans le commentaire de la Passion, pour faire *prendre terre*, pour qu'on voie *par terre*, pour qu'on touche *par terre*, l'aventure mystique. Cet effort qui implique un si grand amour. Il veut qu'on se pénètre de ce qu'il dit jusqu'à voir et à toucher[1]. »

Ainsi tout de suite c'est son application à incarner le mystère, c'est son immense matérialisme spirituel que Fournier admire chez Péguy. Il le compare très curieusement, dans cette première lettre, à Rabelais : « Cet homme est un Rabelais des idées », note-t-il.

Dès le mois d'octobre 1910, il se lie plus intimement avec lui. Pour la première fois peut-être parmi les écrivains contemporains, il reconnaît un ami. Comme Fournier, Péguy est du Centre, comme Fournier, il sort tout fraîchement du peuple. Ce sont de grandes affinités.

Commencement de longues promenades à travers Paris, Péguy tout à ses affaires, mais en faisant découler d'intarissables considérations générales sur la vie, la sainteté, l'honneur, la mort. Je sens Fournier séduit par tant d'intégrité farouche, par ce génie paysan, naïf, soupçonneux, enfantin, retors, et comme le sien, malgré tant de précision dans l'esprit, incurablement absent au monde.

Ils marchent l'un à côté de l'autre sur le boulevard Saint-Germain, et tous les dieux français les accompagnent, évoqués, captivés par

1. Lettre du 28 août 1910.

leurs propos. Jeanne d'Arc renaît entre eux, pour eux, familière et protectrice. Et Joinville, et Saint-Louis, et tous les purs. Une assemblée vraiment divine et fraternelle.

Péguy, si fermé à tout ce qui ne lui ressemble pas, entend Fournier, le comprend, l'aime. C'est un repos pour lui, dans l'incessant combat contre les hommes d'affaires, contre les riches, que cette âme d'enfant près de lui, non pas sans ambition (tous deux en ont de grandes), mais inapte aux compromis, candide, agressive, absolue.

Quand paraît *Le Miracle de la Fermière*, « c'est bien simple, déclare Péguy à Fournier, je vais vous dire une chose que je n'ai pas dite souvent, car j'ai plutôt l'habitude de repousser la copie que de l'appeler. Eh ! bien, quand vous aurez sept machins comme votre miracle, apportez-les moi, je les publie... Vous comprenez sept, parce que c'est un chiffre sacré. » Et un moment après, il reprend : « Quand j'ai été là-dedans, mon vieux, vos paysans si beaux !... »[1].

Le *Portrait*, que publie *La Nouvelle Revue Française* de septembre, lui arrache le billet suivant : « Je viens de lire votre *Portrait*. Vous irez loin, Fournier. Vous vous rappellerez que c'est moi qui vous l'ai dit. Je suis votre affectueusement dévoué. Péguy. »

Cette confiance, dont il a un si grand besoin, et qui lui est, encore à ce moment, assez avarement marchandée, Fournier la goûte avec délices.

L'année 1912 s'ouvre par trois billets de Péguy. Le premier janvier : « Fournier, je vous souhaite une bonne année. » Puis le mercredi 3 : « Aujourd'hui Sainte-Geneviève, patronne de Paris ; samedi jour des Rois, cinq centième anniver-

1. Raconté par Fournier dans une lettre du 11 avril 1911.

saire de la naissance de Jeanne d'Arc. Je vous embrasse. Péguy.» Enfin, sous la même date, et par conséquent sous la même invocation : «Fournier, appelez-moi Péguy tout court, quand vous m'écrivez, je vous assure que je l'ai bien mérité.»

Quand Péguy commence à écrire des vers, il les montre à Fournier, les soumet avec humilité à son jugement dont il n'est pas sans deviner la précieuse finesse. Et Fournier sans doute se pose en critique, car Péguy lui envoie successivement plusieurs états du même poème, accompagnant le dernier de ces mots : «Être exigeant, voici un troisième état. Vous y verrez que je suis docile.»

Pour une grâce obtenue, Péguy va par deux fois, à pied, en pèlerinage à Notre-Dame de Chartres. Fournier manifeste quelque regret de ne pas l'avoir suivi. Et voici la lettre profondément touchante qu'il reçoit :

«Mon petit, oui, il faut être plus que patient, il faut être abandonné.

«Comment ne pas voir que l'affaire du *Figaro* s'est faite le 15[1] et certainement le jour où je n'y pensais absolument pas.

«Et aussi cette impression que quand ces gens-là s'occupent aussi exactement de vous, tout est hermétiquement interdit...

«Mon enfant vous commencez à me déconcerter un peu avec ce regret persistant de ne point être venu à Chartres. J'y suis allé pour vous autant que pour moi, vous le savez. Mais pour vous comme pour moi j'y vais aveuglément. J'ai définitivement renoncé à rien demander de particulier à des gens qui savent mieux que nous.

1. Le 15 août, fête de la Vierge.

64

«Comment vous dire. Je suis beaucoup moins sur le propos de votre vie que vous ne paraissez le penser. Pardonnez-le moi. Je suis un peu buté sur ma propre infortune et j'ai pris une horreur de tout ce qui ressemblerait à de la direction. Mais je suis entièrement sur le propos de votre âme et de votre œuvre.

«Quand je vois les précautions incroyables que j'avais prises pour ne pas en perdre d'autres, que j'ai perdus, j'ai une terreur panique de commettre avec vous une maladresse ou d'exercer un atome de gouvernement[1].»

En réponse à ces témoignages, l'amitié et l'admiration de Fournier pour Péguy grandissent et prennent une allure presque passionnée: il m'écrit le 3 janvier 1913: «De longues conversations avec Péguy sont les grands événements de ces jours passés... Je dis, sachant ce que je dis, qu'il n'y a pas eu sans doute, depuis Dostoïevski, un homme qui soit aussi clairement «Homme de Dieu». Et un peu plus loin: «Cet homme-là sait tout, a pensé à tout; et sa bonté est inépuisable comme sa sévérité.»

Fournier me reprocha de ne pas comprendre Péguy, de ne pas savoir me faire simple, pauvre et croyant à son image. Toute science et toute vertu lui semblaient infuses dans cette âme ferme, têtue et pourtant «abandonnée». Ma résistance, d'ailleurs, je tiens à le dire, n'était conditionnée que par certains besoins intellectuels que Péguy m'aidait insuffisamment à satisfaire; elle ne s'adressait en aucune façon ni à sa personne, ni à son talent.

Si complexe qu'ait été l'influence de Péguy sur Fournier, on en distingue du moins maintenant,

1. Le 22 août 1913.

j'espère, la direction principale. Au moment où Fournier venait de se décider à saisir son rêve par les ailes pour l'obliger à cette terre et le faire circuler captif parmi nous, Péguy, non seulement par ses écrits, mais par toute son attitude, le fortifiait dans la croyance que «les rêves se promènent», que l'Invisible est le vrai, ou plutôt qu'il n'y a d'Invisible que pour les âmes faibles et méfiantes. Il lui montrait le surnaturel immanent à la vie quotidienne, les saints nous protégeant, nous gouvernant, à leur tour de calendrier, Notre-Dame à la besogne dans nos moindres affaires. Et, en même temps, il l'aidait à se représenter Notre-Dame, et les Saints, tous «ces gens-là» à la ressemblance de nous-mêmes et profondément parents du monde où ils intervenaient, des hommes qu'ils venaient secourir.

Il corroborait ainsi chez Fournier la tendance à humaniser son merveilleux. Meaulnes et Mlle de Galais reçurent certainement de Péguy, par d'insensibles radiations, quelque chose, dans tous leurs mouvements, dans toutes leurs paroles, de plus familier ; ils s'engagèrent plus solidement et plus humblement dans la nature, dans l'événement. Sous le climat créé par Péguy, ils achevèrent de naître à la vie concrète et, sans rien perdre de leur dignité d'anges, trouvèrent les gestes précis qui les approchèrent définitivement de nous.

Péguy délivra Fournier de cette idée de *mythe*, qui l'avait toujours scandalisé; il lui apprit, il lui permit de croire, que tout ce qu'il imaginait *avait lieu*, au sens fort de l'expression. Et ainsi se trouva activée, excitée à son comble, cette faculté, chez Fournier, qui lui faisait voir mille petits incidents à décrire, une aventure à raconter à la place du grand « mystère » qui avait si longtemps possédé obscurément son esprit.

Le Grand Meaulnes fut terminé au début de 1913. Fournier le présenta d'abord à *L'Opinion* où Henri Massis chercha en vain à le faire accepter. Je lui avais d'ailleurs réclamé le premier son manuscrit pour *La Nouvelle Revue Française*, alors dirigée par Jacques Copeau, et c'est finalement dans les pages de cette revue, exactement dans les numéros de juillet à novembre 1913, que l'œuvre vit pour la première fois le jour. Elle parut en volume au mois d'octobre, chez l'éditeur Émile-Paul.

Dans la bataille pour le prix Goncourt, Fournier eut un moment les plus grandes chances. Lucien Descaves et Léon Daudet s'étaient épris de son livre et le poussèrent avec acharnement contre *La Maison Blanche* de Léon Werth, que soutenait Octave Mirbeau. Onze tours de scrutin n'ayant pas réussi à les départager, les Dix se rabattirent sur un outsider : Marc Elder.

Malgré cet échec, *Le Grand Meaulnes* fut accueilli par le public et par la presse avec faveur ; il trouva même tout de suite des admirateurs passionnés ; Fournier reçut de nombreuses lettres pleines de tendresse et d'enthousiasme. Au moment de la guerre, plusieurs éditions de l'ouvrage avaient été vendues.

Voici deux fois, dans ma vie, que j'assiste à ce spectacle, sur le moment incompréhensible, mais rétrospectivement pathétique, d'un écrivain qui cherche à éprouver et à évaluer sa gloire avant de mourir. Qu'on n'aille pas imaginer que l'amour-propre seulement, ou la vanité, étaient en jeu chez Fournier, quand il recueillait si complaisamment tous les éloges qui montaient vers son livre et cet encens délicieux des premiers articles de journaux. Son avidité était à la mesure de son pressentiment. Depuis longtemps déjà il vivait persuadé que ce ne pouvait pas être pour longtemps ; et de loin en loin cette conviction, qu'aucune maladie, qu'aucune faiblesse ne justifiaient, affleurait dans ses paroles : « Je suis las et hanté par la crainte de voir finir ma jeunesse, m'écrivait-il déjà le 2 juin 1909. Je ne m'éparpille plus. Je suis devant le monde comme quelqu'un qui va s'en aller. » Et l'année suivante, traçant dans une lettre un premier crayon du grand Meaulnes : « Il est dans le monde, me répétait-il, comme quelqu'un qui va s'en aller. » Revenant à lui-même, il me découvrait une couche plus profonde encore de son désespoir : « Se retrouver jeté dans la vie sans savoir comment s'y retourner ni s'y placer. Avoir chaque soir le sentiment plus net que cela va être tout de suite fini. Ne pouvoir plus rien faire, ni même commencer, parce que cela ne vaut pas la peine, parce qu'on n'aura pas le temps. Après le premier cycle de la vie révolu, s'imaginer qu'elle est finie et ne plus savoir comment vivre... De tout cela, certes, je ne suis pas complètement guéri[1]. »

Au moment d'Agadir, comme nous parlions de la guerre possible : « Je sais, s'écria-t-il tout à coup avec une émotion extraordinaire, qu'elle est inévitable et que je n'en reviendrai pas. »

Et le 25 mars 1913, ayant appris la mort d'une jeune cousine : « Encore quelqu'un de notre âge, m'écrivait-il, qui est mort et pour qui, chaque jour, il faut dire les prières qu'il a oublié, négligé de dire durant sa vie. Je m'étais imaginé qu'après Bichet, le prochain ce serait moi. »

1. Lettre du 4 avril 1910.

Sur cette sourde, mais irritante sensation d'être privé d'avenir, Fournier avait évidemment besoin, quand il ne s'en repaissait pas, de pouvoir appliquer un calmant : c'est de quoi lui servit le succès du *Grand Meaulnes* : c'est pourquoi il chercha à percevoir complètement et jusqu'en ses plus légères manifestations, ce succès.

Pour la première fois la vie, cette vie qu'il avait su si mal caresser, lui apportait quelque chose, lui répondait tendrement et par une promesse. Pour la première fois il avait l'impression d'une certaine victoire sur la destinée ; il sentait qu'il s'était enfin imposé, si frêlement que ce fût, au temps, à ce courant aride, par lequel il s'était vu jusque-là vainement traversé, qui jusque-là n'avait rien fait, croyait-il, qu'entraîner et dissiper ses forces.

Oh ! ce n'était point de l'ivresse, et il n'en résultait en lui aucun véritable contentement ; le monde ne lui apparaissait pas meilleur, ni plus facile à habiter. Mais autour de son âme inexperte et souffrante, cette aube d'immortalité rayonnait doucement, l'aidant à dégager plus utilement ses vertus.

Les projets qui avaient commencé de se faire jour dans l'esprit de Fournier dès avant l'achèvement du *Grand Meaulnes*, se précisèrent aussitôt et s'épanouirent. Il se mit à travailler à un nouveau roman qui devait s'appeler *Colombe Blanchet*.

Le sujet en était extrêmement compliqué. Ramené à l'essentiel, c'était l'histoire des amours d'un jeune instituteur, dans une petite ville de province déchirée par les rivalités politiques. Le héros, Jean-Gilles Autissier, s'éprenait d'abord d'une jeune fille, Laurence, qui devenait sa maîtresse, mais trop facilement et sans que se calmât la grande attente où il avait vécu d'un amour intact et parfait. C'est chez Colombe, à qui, malgré l'hostilité du vieux père Blanchet contre les instituteurs, il donnait des leçons, qu'il trouvait enfin l'être idéal dont il avait rêvé. Il finissait par s'enfuir avec elle en bicyclette; ils voyageaient tous les deux pendant trois jours, couchant dans les vignes, comme des enfants perdus. Mais un ennemi les rattrapait, racontait à Colombe la liaison de Jean-Gilles avec Laurence, et ses aventures. Colombe, qui avait cru jusque-là son ami aussi pur qu'elle-même, le quittait brusquement et allait se noyer.

En épigraphe de cette histoire, qu'il est difficile de résumer sans l'endommager, Fournier voulait placer une phrase de *L'Imitation*, qu'il avait recueillie plusieurs années auparavant et portée longtemps avec amour: « Je cherche un cœur pur et j'en fais le lieu de mon repos. »

Toute son âme tendait ainsi à nouveau à s'exprimer dans cette fiction, pourtant si minutieusement construite et beaucoup plus fournie encore de détails objectifs que ne l'était *Le Grand Meaulnes* — toute son âme avide d'innocence et de béatitude. Par la fuite de Meaulnes et par la mort d'Yvonne de Galais, par cette grande chasteté glissée au sein même de leur union, elle ne s'était pas encore déchargée de tout son besoin de pureté et de privation; l'enfance la travaillait encore et cherchait encore à lui faire animer hors d'elle des personnages immaculés.

Mais où l'influence de la vie commençait à se trahir chez Fournier, c'était au poids qu'il faisait traîner à son héros. L'amour l'avait instruit et marqué; les expériences charnelles qu'il avait faites, ç'avait pu être dans l'impatience, dans le dégoût; il les sentait pourtant irrémédiables.

Ou du moins il eût fallu pour l'en guérir, le pardon et le baiser de Colombe; il eût fallu ce «cœur pur» et qu'il pût «en faire le lieu de son repos». Hélas! — c'est ici que s'exprimait à nouveau dans toute sa force ce mysticisme latent qui avait inspiré déjà à Fournier son premier essai: sur le Corps de la Femme — il suffit d'avoir une fois cédé à la chair pour ne plus trouver de rémission ni d'asile; la souillure est trop forte; même au feu de Colombe elle ne sera pas effacée. C'est Colombe au contraire qu'elle oblige, sitôt qu'elle lui est révélée, à se volatiliser.

Le moment où il méditait ce dénouement était celui où Fournier avait enfin réussi à revoir, mais mariée, mais plus inaccessible que jamais, l'ancienne jeune fille du Cours-la-Reine: «C'était vraiment, m'écrivait-il[1], c'est vraiment le seul être au monde qui eût pu me donner la paix et le repos. Il est probable maintenant que je n'aurai pas la paix dans ce monde.»

Comment expliquer les additions et les corrections que reçut ensuite, dans le courant de 1914, le scénario de *Colombe Blanchet*? Un nouveau personnage, celui d'Emilie, la savante, la sœur aînée de Colombe, fit son apparition. Elle devait, dans cette nouvelle version, consoler Jean-Gilles de la fuite de Colombe, car Colombe ne se noyait plus, mais se retirait dans un couvent.

Beaucoup de raisons me font croire que cette transformation de son projet, si elle correspondit à quelque événement de la vie de Fournier, n'exprima point pourtant une évolution réelle et profonde de son âme. Pour se représenter dans son essence véritable l'œuvre qu'il laissa inache-

1. Le 4 septembre 1913.

vée, il faut y penser, je crois, sous l'aspect où elle lui était d'abord apparue.

Une autre ébauche, mais beaucoup moins poussée, nous reste de cette dernière période de la vie de Fournier : celle d'une pièce intitulée : *La Maison dans la Forêt*. Un jeune homme, trahi par sa maîtresse, fuit Paris et vient s'installer dans une maison de garde-chasse, en pleine forêt. De son côté, une jeune fille romanesque s'est échappée de son couvent et s'est cloîtrée, avec sa suivante, dans une aile abandonnée du même pavillon. Le jeune homme ignore la présence de la jeune fille, qui ne se décèle peu à peu qu'à d'imperceptibles indices que, moitié par négligence et moitié par coquetterie, elle laisse filtrer. Il la découvre enfin, l'aime et l'épouse.

Thème enfantin, mais sur lequel Fournier certainement eût brodé avec grâce et mystère. « Je voudrais, nous disait-il, donner à peu près l'émotion que j'éprouvais en lisant autrefois l'histoire des petits ours qui, rentrant dans leur cabane, s'écrient : « Quelqu'un a mangé dans ma petite assiette ; quelqu'un s'est assis dans ma petite chaise, etc. ». L'œuvre reste, malheureusement, sauf une scène, à l'état de simple esquisse.

La dernière année que vécut Fournier est celle, hélas ! pendant laquelle je l'ai connu le moins. Quelle force nous arrachait l'un à l'autre ? Nous avions vingt-sept ans ; nous abordions en même temps à l'âge de l'originalité et de l'isolement. Il eût fallu que l'un de nous acceptât d'être vaincu — d'être vaincu dans ses goûts, dans ses tendances, dans ses perversités. Ni lui, ni moi n'étions de force, ou plutôt de faiblesse, à subir cette diminution. Nous nous repoussions donc doucement comme deux êtres électriques qui ont besoin chacun de leur intégrité et savent qu'un peu de champ entre eux y est indispensable.

Dure tâche que de s'accomplir! Que de liens il faut briser! Que de contacts il faut rompre! Comme il est seul l'homme en qui bouge le pauvre et impérieux devoir de créer!

Et la mélancolie ici s'accroît de ce que le chemin où j'avais dû laisser mon ami, le conduisait vers une solitude tellement plus grande encore!

IV

« la voix sourde et merveilleuse qui appelle. »
A-F. (*Madeleine*).

Car voici Fournier accompagné jusqu'au seuil terrible, que même par le plus grand effort d'amour, nous ne pouvons dépasser, qu'il franchit. Nous sommes en juillet 1914. Depuis le début du mois, je suis installé aux environs de Bordeaux. Il doit aller passer une partie de ses vacances à Cambo. Le 18, si je me souviens bien, nous nous rencontrons pour la dernière fois à Bordeaux. Je vois encore tourner, brusque et calme, au coin de la rue Esprit-des-Lois, l'automobile qui l'emporta.

Quelques jours plus tard, « le péril de guerre » se déclare. Jours sombres et grands, en promontoire sur un avenir bouché! Fournier, je l'ai dit, en avait eu le pressentiment le plus net.

Pourtant, il refuse maintenant l'évidence de la menace. Jusqu'au dernier moment il met en doute l'événement. Il n'arrive pas à croire que ce puisse être « déjà »! Je ne sais rien de plus

bouleversant que cette paresse du dernier
moment qui le prit devant sa destinée.

Il part cependant. Comme moi, c'est le 4 août
qu'il rejoint son corps, le 288e régiment d'infante-
rie, à Mirande. Par un hasard extraordinaire
nous faisons partie de la même division, la 67e de
réserve : des trains qui se suivent à quelques
heures, par la même voie, vont nous promener,
au pas de l'homme, pendant trois jours à travers
toute la France. Nous passerons par les mêmes
gares où les femmes viendront accrocher des
médailles bénites à nos poitrines, entre les
mêmes champs où les paysans se découvriront
devant nous, comme si le train était notre convoi
funèbre déjà ; nous entendrons gueuler, presque
par les mêmes voix, la même *Marseillaise* assai-
sonnée d'ail puisque c'est avec des Gascons que
nous marcherons tous deux.

Fournier descendit-il à la gare de Bourges, vit-il
Sancerre sur son coteau, où moi je passai de
nuit ? A Saint-Florentin, reçut-il, comme moi, un
œuf dur lancé à la volée, du haut d'un wagon, à
la foule des soldats, par une dame de la Croix-
Rouge ? On crevait de faim.

En tous cas il dut voir comme moi cet aéro-
plane en miettes parmi des débris de wagons,
près de la gare de Brienne-le-Château : un tam-
ponnement simplement, le premier accident de la
guerre, et qui nous fit rire tant nous espérions
mieux pour bientôt.

A Suippes, il dut arriver comme j'en partais
traînant la patte, vanné déjà.

Et c'est peut-être le même jour que moi, qu'en
pleine Argonne, dans la grande combe des
Islettes, qui résonnait comme une église, sous le
ciel sombre, entre les arbres noirs, il entendit
pour la première fois le canon.

74

Verdun sous l'éclipse; la Woëvre plate, peuplée de soldats, de canons, de voitures; des espèces de grandes manœuvres sinistres, sous le soleil échancré, avec le gros bourrelet triste du canon en bordure de tout l'horizon. «Il doit y avoir déjà du rab' de képis, là-bas», me dit un de mes hommes.

Nous sommes sans aucune nouvelle: simplement je remarque que la ligne qui va vers Etain est déserte, et les maisons de gardes-barrière fermées.

Fournier rencontra-t-il comme moi, à l'entrée d'Etain, cette charrette à bâche, chargée de meubles et de gens, que nous prîmes pour une roulotte, que nous encadrâmes de cris et de plaisanteries, mais qui se turent, quand l'ayant croisée, nous découvrîmes derrière, accroupie entre un lit et une armoire, une jeune fille aux yeux complètement hagards.

Dans Etain, le flot des fugitifs encombrait la rue: «C'est épouvantable! Ils tuent les femmes et les enfants. N'y allez pas!» nous criait risiblement, du sein de la foule, une femme affolée.

A la sortie de la ville — la nuit était tombée — s'il y passa peu d'heures après moi, Fournier put voir tout l'horizon plein d'incendies tranquilles, chacun marquant un village: «Celui-là, nous disait un homme, c'est Audun-le-Roman, cet autre...» Et nous nous glissions dans une petite maison, où la famille, y compris un gros bébé rose et sale, était attablée en silence, et où l'on remplissait nos bidons d'un vin très cher et très mauvais.

Mais puis-je plus longtemps retracer par la mienne l'entrée de Fournier dans la guerre? Y eut-il ressemblance entre la façon dont nous vécûmes, chacun, si près l'un de l'autre pourtant, ces instants? Je ne le saurai jamais. Le 24, notre division fut engagée pour la première fois à la lisière du Bassin de Briey. Mon bataillon était en première ligne, le sien en seconde. Et c'est sans doute tout près de lui, séparé seulement par la ligne de bivouacs des Allemands qui s'était refermée derrière nos positions, que je dus passer cette terrible nuit du 25[1].

Très endommagée dans cette première affaire, la division fut pourtant de tous les combats qui se livrèrent en fin d'août et pendant tout septembre autour de Verdun. Pendant la Marne, elle dut faire face de deux côtés en même temps: on la transporta plusieurs fois de Souilly sur la rive gauche de la Meuse où elle servit à contenir le Kronprinz, aux Hauts-de-Meuse où elle s'opposa, vers les Eparges, à la poussée d'une autre armée allemande. C'est dans cette région, exactement au nord-est de Vaux-les-Palameix, au bois de St-Rémy, qu'elle se trouvait le 22 septembre, au moment où les efforts des deux partis s'étant neutralisés, la ligne de front tendait à se fixer.

Il y avait pourtant encore, surtout dans ces bois, une certaine marge entre les deux armées. Fournier était revenu le matin même à sa troupe, de l'état-major où il avait été détaché pendant quelques jours. Son capitaine, qui faisait fonction de commandant, voulut entreprendre une reconnaissance avec deux compagnies; Fournier commandait la 23e. Le parti atteignit la tranchée de Calonne que jalonnait la ligne des sentinelles et la franchit un peu à droite de la route de Vaux à St-Rémy; il s'enfonça sous bois, en colonne par quatre. Cent mètres plus loin, un peu avant la lisière, les hommes virent une forme bondir de

---

1. Au cours de laquelle Jacques Rivière fut fait prisonnier (N.d.E.).

derrière un arbre, courir, sauter dans un trou. Le capitaine ne voulut pas y prendre garde, malgré les avertissements de ses lieutenants, prétend-on.

Tout à coup, d'une petite tranchée invisible, un feu nourri fut dirigé sur cette troupe imprudemment massée. Les taillis s'opposaient à tout déploiement. Le capitaine voulut entraîner ses hommes et se précipita sur la tranchée, revolver au poing ; mais il ne fut suivi que par les deux lieutenants et par un petit paquet, qui fut aussitôt décimé ; le reste s'enfuit.

Fournier tomba, frappé au front, m'a affirmé un homme qui était près de lui.

Longtemps le mystère régna sur cet engagement et les histoires tantôt les plus encourageantes, tantôt les plus horribles circulèrent dans la troupe sur le sort des disparus. On crut que Fournier avait été seulement blessé et recueilli par l'ennemi. La fin de la guerre a cruellement détruit ce dernier espoir.

J'ai refait à pied, en 1919, la dure dernière étape sur cette terre de mon ami. Pays affreux, sur lequel pesait, à ce moment — je ne sais s'il s'est ranimé depuis — une solitude vraiment monstrueuse. De Ranzières, sans rencontrer une âme, j'ai gagné Vaux-les-Palameix, rasé, enlevé par la guerre, comme on cueille un chardon avec un couteau, du vallon où il était tapi ; je me suis assis longtemps sur une pierre plate, près du ruisseau, seul murmure en ce désert. J'ai monté la longue côte qui longe le Bois Bouchot, entre les arbres décharnés, épointés, noircis. Mais plus loin, toute la végétation avait repris et couvrait déjà les petits cimetières allemands, pleins de grenades, où s'effaçaient des noms. « Ein französischer Krieger », ou même : « Ein französischer

Held », découvrais-je çà et là, mais pas une date qui fût antérieure à décembre 1914. Plus loin une ville de tôle ondulée — les cadres de bois, à l'intérieur, qui servaient de lits, tout pourris et moussus déjà. Dans le talus même de la route, l'entrée de profonds abris, mais effondrés. Et tout seul, dans un taillis, par quel miracle échoué là ? tout à coup un vieux coupé de louage, épave dérisoire.

Plus loin encore, à la lisière des bois, au bord de la pente qui descend vers St-Rémy, dans les parages où Fournier a dû tomber, sur les anciennes positions allemandes, les Américains, en 18, avaient campé. Conserves et brochures, du linge abandonné : une voie de soixante sinuait entre les buissons sournoisement ; près d'un gros tas d'obus, un crâne de cheval tout blanchi ; des croix par-ci par-là au pied des arbres, d'autres sur le versant découvert de la colline, comme de petites barques en peine, traînant un lourd filet, mais qui peu à peu, dans la terre, s'allège. Une paix cependant, désolante, infinie... Le vent berçait les arbres ; une odeur de fraises me venait. Devant des baraques en bois, alignées droit comme dans un ranch, des chaises restaient debout en plein air. Je me suis assis.

Les autres endroits du front que j'ai visités depuis — l'endroit même où j'ai été fait prisonnier — n'ont su rien me redire. Mais là, tout à coup, à ce vague emplacement de mort, j'ai senti remonter en moi cette âme pénitente, saturée de tendresse et de larmes, comme agrandie de misère, et vraiment détachée de ce monde, vraiment saoule de renoncement, que la guerre un moment m'avait faite.

Est-ce celle dont fut habité Fournier au moment de mourir ? Un compagnon de ses derniers jours me l'affirme. Elle avait en tout cas plus d'affinités avec sa nature qu'avec la mienne.

Je ne pense pas qu'il aimerait que j'embellisse indûment ses dernières transes, lui qui m'écrivait en 1906, à propos de la catastrophe de Courrières s'indignant de la façon dont les journaux déguisaient en héros les malheureux rescapés : « Comme si on avait de beaux gestes lorsque la mort et cent pieds d'obscurité vous séparent du monde civilisé. Ou plutôt comme si tous les gestes, quels qu'ils soient, n'étaient pas beaux, dans l'horreur et l'effroi de ce drame. »

Pourtant je songe combien plus que moi il était capable de foi et de courage. Son esprit n'avait pas de barrières critiques ; le flot, qui força les miennes, un moment, n'eut certainement, pour l'envahir, qu'un assaut bien moins fort à donner.

Et puis il était meilleur que moi, plus tendre, plus confiant, plus insoucieux de sa perfection abstraite. Ce contre quoi je m'étais si longtemps révolté, en lui, son refus de s'étudier, sa façon de regarder au dehors plus qu'en lui-même, son goût de l'action plus que de la connaissance, et même sa recherche de l'illusion, qu'il avouait lui être plus chère et plus parente qu'aucune réalité, durent hausser tout naturellement son âme au niveau de cette grande vague qui n'eut plus qu'à le prendre, à l'emporter.

On s'étonnera peut-être que je raisonne si longtemps sur les chances que mon ami ait éprouvé un sentiment qu'on considérera comme seul indiqué, seul admissible dans les circonstances où il se trouvait. Mais tout le monde ne sait peut-être pas qu'il est assez dur de s'avancer tout vivant, au comble de sa force, entre les bras de la mort. Tout le monde ne sait peut-être pas qu'il faut une certaine «grâce» pour renoncer, en pleine conscience, non pas seulement au charme de la vie, à ceux qu'on aime, mais encore à tout ce que l'on sent en soi de capacités latentes et, pour tout dire d'un mot, à son œuvre quand on en porte une. Une forêt, que le vent caresse comme à l'habitude, vous rappelant la vie, mais où l'on devine la greffe secrète de mitrailleuses et de fusils, c'est un décor assez sinistre et pour que le pas d'un homme jeune et fort y reste calme et qu'une certaine joie l'y accompagne encore, il est besoin de lui supposer quelques encouragements intérieurs.

De tels encouragements, d'ailleurs, je le répète, tout m'indique que Fournier fut amplement gratifié. Il y avait cette âme en lui, que j'ai dite, si prompte à s'aliéner, et puis son profond amour de la France, et puis surtout sa facilité à prendre la vie comme un «grand jeu» (qu'il avait aimé cette expression de *Kim*!), comme une aventure par où rejoindre quelque chose de mieux.

Je ne dis pas qu'il s'est séparé de nous sans tristesse; mais cet ordre de son capitaine d'«aller chercher les Boches» («Faut trouver les Boches», disait sans cesse ce malheureux, dont il semble que ce fut toute la pensée tactique) — cet ordre dut lui apparaître à peu près comme à Meaulnes l'appel de Frantz: vain et irrésistible. Ce fut l'invitation à quitter ce peu de bonheur qu'il avait conquis, pour une chance plus obscure, mais plus grande.

S'il acceptait de n'être pas ici-bas «tout à fait un être réel», n'était-ce pas dans le pressentiment qu'il le pouvait devenir ailleurs?

Oui, je ne résiste pas, par instants, à cette impression que la mort fut pour lui, dans cette vaste et incertaine tempête de la guerre, comme une rame tout à coup pour s'aider vers plus de réalité et d'existence. Le son de cette voix qui l'appelait plus loin, si triste d'abord qu'il ait pu lui sembler, de quelque privation qu'il lui ait donné le signal, si déchirantes qu'en aient été, dans ce grand bois plaintif, les harmoniques, il dut bientôt y percevoir l'annonce aussi quand il l'eut laissé pénétrer jusqu'au fond de son cœur, et la permission, d'un accomplissement jusque-là impraticable de lui-même.

Il marcha fidèlement jusqu'à cette lisière où sa trace se perd, où je reste, plutôt qu'à le pleurer, à l'imaginer; il replia sans un mot sa frêle armure, ce corps dont il avait usé pour nous accompagner quelque temps, tant bien que mal, et nous parler, et souffrir avec nous; mais elle était si délicate que nous n'en retrouvons plus rien.

Esprit timide et sans peur, il s'enfonça dans ce monde même qui avait toujours régné sur sa pensée et n'avait cessé d'en former l'horizon. D'un nouvel acte de foi, plus profond encore que celui qui avait donné naissance au *Grand Meaulnes*, il se l'ouvrit, j'en suis sûr, et de toute son âme, en un clin d'oeil, le rejoignit. Il faut que nous pensions à lui, toujours, comme à quelqu'un de «sauvé».

JACQUES RIVIÈRE.

MIRACLES

TRISTESSES D'ÉTÉ[1]

> Dimanche.......

Les rideaux sont fermés, aux carrefours déserts...
Fraîches, Elles ont quitté le rouet et la porte
Pour la fraîcheur et la gaieté des lointains verts...
... Quelque part, un piano sanglote...

Et ce matin, pourtant, parce que c'était l'Été,
on avait cru les voir sourire en robe blanche ;
Et pourtant, ce matin, les cloches ont chanté
parce que c'était Dimanche...

Désespoirs ensoleillés d'après-midis déserts,
Poussière... silence... et rayons des gaietés
> [mortes,
Jours de rideaux baissés, tristes comme des
> [hivers !...
.. Et, pleureuses venues,.. et lasses.., des notes
Qu'un piano,.. quelque part.., d'oubliée,
> [sanglote...

> Août 1904

---

1. Poème, le plus ancien semble-t-il qui soit conservé. Nous respectons ponctuation et orthographe.

ADOLESCENTS[1]

(A Monsieur M. Maeterlinck)

« ... et cherchez doucement
Avec vos mains de sang
qui s'écorchent dans l'ombre »

De la Colline — enivrés de printemps,
d'avoir senti rêver les sapins trop longtemps,
et d'avoir regardé bleuir au loin la Ville,
Nous sommes descendus.. au soir.. et au
[printemps.

Nous étions vingt, nous étions mille
Et nos sanglots d'amour s'en allaient vers la
[Ville.

1. Orthographe (en particulier jeu des majuscules) et ponctuation sont respectées.

Ce poème précède de six mois la rencontre capitale, celle du 1er juin 1905 avec « la jeune fille du Cours-la-Reine ».

Henri Fournier avait assisté pour la première fois à *Pelléas et Mélisande* de Debussy dès l'année 1903, entouré de ses camarades Rivière, Guinle et de Jules Romains. L'œuvre de Debussy avait profondément marqué les jeunes gens qui découvraient cette musique nouvelle avec enthousiasme. Mais le drame de Maeterlinck ne leur était pas non plus indifférent et ce n'est pas un hasard si au cours de la « grande, belle, étrange et mystérieuse conversation » avec la jeune fille, Fournier qui lui a demandé son nom, constatera : « Le nom que je vous donnais était plus beau » ; car, expliquera-t-il à sa sœur plus tard « c'est Mélisande que je voulais dire ».

Nous avons passé les seuils et leurs treilles,
et nous avons frôlé l'âme petite et vieille
gardienne du chemin, berceuse des hameaux,
et familière, au soir, quand les âtres s'égayent.

Au souffle calme des hameaux,
Nous sommes descendus en cueillant des
[rameaux.

★

La gloire du couchant s'en est allée,
Il a fait trop clair de lune sur la vallée,
La ville s'est éteinte.. et nous allons à pied..
à pieds percés aux graviers blancs de la vallée.

En pleurant le bois muet des ramiers,
Nous marchons vers la Mort dans le sang de nos
[pieds.

★

Ho!.. Mon coeur a perdu le reste de la bande!..
Mon cœur est froid de lune et tout seul dans la
[lande!..
Qui donc va m'enseigner la route du Matin?

Qui donc viendrait porteur de toile et de
[lavande?

Les charrettes, ce soir, en grelots aux chemins,
en fanaux cahotés, sont parties par la lande..
.. Il ne passera plus de bon Samaritain.

★

Ho!.. Voici qu'il y a quelque chose sur la lande,
La douce ombre de la Tour sur toute la lande
de la Tour mystérieuse d'être avant le Matin!..

— et sur mon cœur et sur mes mains..
(J'ai retrouvé les bons chemins...
Oh! les grelots sont clairs sur le nouveau
                                            [chemin..
Oh! les grelots sont clairs de chanter au matin!)

— et sur mon cœur et sur mes mains,
Crépuscule avant l'aube et sur toute la lande,
sur tout mon sang, bonne lavande,

— et sur mon cœur et sur mes mains,
ta chevelure, ô Mélisande!

                                        Janvier 1905

L'ONDÉE[1]

> « *Une touffe de fleurs*
> *où trembleraient des larmes* »
>
> Albert Samain.

L'ondée a fait rentrer les enfants en déroute,
La nuit vient lente et fraîche au silence des
                                              [routes,
Et mon cœur au jardin s'épanche goutte à goutte

Si discret, maintenant, et si pur... qu'à l'aimer
On pourrait se risquer — Oh! Belle qui viendrez,
Vous ouvrirez la grille un soir mouillé de mai.

Timidement, avec des doigts qui se méfient,
Et qui tremblent... un peu, vous ouvrirez, ravie
D'amour et de fraîcheur et de frayeur... un peu.

Les lilas aux barreaux sont encor lourds de
                                              [pluie...
Qui sait si les lilas, inclinés, lourds d'aveux,
Vont pas pleurer sur vos cheveux !...

---

1. Poème daté d'avril 1905. Première publication : *Miracles*, 1924,
pp. 93-94.
   Si la rencontre du Cours-la-Reine n'a pas encore eu lieu, il est clair
que déjà Fournier rêve de faire entrer «la Belle» qui doit venir, dans
son univers personnel, celui qu'il décrit à ses parents dans une lettre
du 20 mars 1905 : «Je voudrais vous écrire des livres et des livres sur
tout ce qu'on a vu et senti dans ce petit coin de terre où le Monde a
tenu pour nous, sur ce coin de mon cœur où j'aime encore à le faire
tenir. »

Vous irez, doucement, tout le long des bordures,
Chercher des fleurs pour vous les mettre à la
[ceinture
Mes pensées frissonnantes pour en faire un
[bouquet

Gardez-vous bien, surtout, de passer aux sentiers
Où les herbes, ce soir, ont d'étranges allures,
Où les herbes sont folles et meurent de rêver!...
Si vous alliez mouiller vos petits pieds!...

Les rondes folles se sont tues,
Les herbes folles vont dormir.
L'allée embaume à en mourir...
Tu peux venir, ma bienvenue!

Tout le soir, sagement, tu descendras l'allée
Tiède d'amour, de pétales et de rosée.

Tu viendras t'accouder au ruisseau de mon cœur
Y délier ta cueillette, y délier fleur à fleur
La candeur des jasmins et l'orgueil des pensées.

Et tout le soir, dans l'ombre humide et parfumée,
Débordant de printemps, de pluie et de bonheur,
Les larges eaux de paix, les eaux fleurdelisées
Rouleront vers la Nuit des branches et des
[fleurs...

CONTE DU SOLEIL ET DE LA ROUTE[1]

(A une petite fille)

— Un peu plus d'ombre sous les marronniers des
                                          [places,
Un peu plus de soleil sur la grande route lasse...

Des noces passeront, aux « beaux jours »
                                          [étouffants,
sur la grand'route, au grand soleil, et sur deux
                                          [rangs.

De très longs cortèges de noces campagnardes
avec de beaux habits dont tout le monde parle

Et de petits enfants, dans la noce, effarés
auront de très petits « gros chagrins » ignorés...

— Je songe à l'Un, petit garçon, qui me
                                          [ressemble
et, les matins légers de printemps, sous les
                                          [trembles,

à cause du ciel tiède et des haies d'églantiers,

1. Poème daté d'avril 1905. Première publication : *Miracles*, pp. 95-98.
   Ce poème se réfère directement à l'enfance d'Henri Fournier et aux grands émois que ses premières admirations d'enfant pour des filles plus âgées que lui ont fait naître dans son cœur trop sensible.

parce qu'il était seul, qu'on l'avait invité,
se prenait à rêver à la noce d'Eté :

« ... On me mettra peut-être — on l'a dit — avec
                                            [Elle
qui me fait pleurer dans mon lit, et qui est belle...

(Si vous saviez — les soirs, quelquefois — ô
                                            [mamans,
les pleurs de tristesse et d'amour de vos enfants !)

« ... J'aurai mon grand chapeau de paille neuve et
                                            [blanche ;
sur mon bras la dentelle envolée de sa
                                            [manche... »
— Et je rêve son rêve aux habits de Dimanche.

« ... Oh ! le beau temps d'amour et d'Eté qu'il fera,
Et qu'elle sera douce et penchée, à mon bras.

J'irai à petits pas. Je tiendrai son ombrelle.
Très doucement, je lui dirai « Mademoiselle »

d'abord — Et puis, le soir, peut-être, j'oserai,
si l'étape est très longue, et si le soir est frais,
serrer si fort son bras, et lui dire si près,
à perdre haleine, et sans chercher, des mots si
                                            [vrais

qu'elle en aura « ses » yeux mouillés — des mots
                                            [si tendres
qu'elle me répondra, sans que personne
                                            [entende... »

— Et je songe, à présent, aux mariées pas jolies
qu'on voit, les matins chauds, descendre des
                                            [mairies

Sur la route aveuglante, en musique, et traîner
des couples en cortège, aux habits étrennés.

Et je songe, dans la poussière de leurs traînes
où passent, deux à deux, les fillettes hautaines
les fillettes en blanc, aux manches de dentelles,
Et les garçons venus des grandes Villes — laids,
avec de laids bouquets de fleurs artificielles,

— je songe aux petits gars oubliés, affolés
qu'on n'a mis, «au dernier moment», avec
[personne

— aux petits gars des bourgs, amoureux
[bousculés
par le cortège au pas ridicule et rythmé

— aux petits gars qui ne s'en vont avec personne
dans le cortège qui s'en va, fier et traîné
vers l'allégresse sans raison, là-bas, qui sonne.

— Et tout petits, tout éperdus, le long des rangs,
ne peuvent même plus retrouver leurs mamans.

— Un surtout... qui me ressemble de plus en
[plus !
un surtout, que je vois — un surtout... a perdu

au grand vent poussiéreux, au grand soleil de
[joie,
son beau chapeau tout neuf, blanc de paille et de
[soie,
et je le vois... sur la route... qui court après
— et perd le défilé des «Messieurs» et des
[«Dames» —
court après — et fait rire de lui — court après,
aveuglé de soleil, de poussière et de larmes...

SUR CE GRAND CHEMIN[1]

« Je suis plus près de toi dans l'obscurité »

(*Pelléas et Mélisande,* Acte IV, sc. 3)

Sur ce Grand Chemin gris
où nous ont amenés deux sentiers de traverse,
nous voilà pris tous deux par l'orage et l'averse
et la nuit. Pas d'abris
en vue. Il va falloir marcher par les ornières
en guettant aux détours les premières lumières
lointaines d'un pays...
Il va falloir marcher en se donnant la main
— Voyageurs des mois gris, perdus aux grands
[chemins
devant soi, par la nuit...

1. Poème daté de juin 1905. Nous respectons orthographe et ponctuation originelles.

Dans une lettre d'Isabelle Fournier à son frère du 27 juin 1905 on trouve mention de ce poème. Il y a un an qu'Henri a vécu sa première expérience amoureuse avec une certaine Yvonne et que des lettres imprudentes interceptées par ses parents l'ont obligé à rompre avec la jeune fille.

Fournier en parlera légèrement avec son ami Jacques Rivière.

Mais une fois de plus ce poème suppose une jeune fille à son bras qu'il emmène avec lui et avec laquelle il s'endort chastement dans une auberge de son pays, par une nuit de pluie et de vent.

Nous ne pourrons pas lire aux bornes des
                                    [chemins,
nous ne pourrons pas lire à cause de la nuit,
de la nuit sans étoile, à cause de la pluie.

★

Et pourtant nous irons, aveugles et confiants
et contents de la route et contents de la vie,
comme si nous étions deux tout petits enfants
sur le chemin du bourg, sous un grand parapluie.

★

Nous irons au hasard, tous deux : une ombre, un
                                    [pas...
Et nous pardonnerons à la nuit, dans les bois,
à la nuit sur nos pas, à la nuit qui fait perdre.
Puisque j'ai dit « Viens près de moi,.. plus près de
                                    [moi »,
de crainte de te perdre.
Puisque tu as, ce soir, osé prendre mes doigts,
dans l'ombre qui fait peur, avec tes doigts
                                    [timides
pour ne plus avoir peur et pour que je te guide.

★

Nous sortirons parfois du chemin, tous les deux
et nous aurons parfois de l'eau jusqu'aux
                                    [chevilles ;
les rafales de vent, de pluie et de ramilles
arrêteront nos pas, et fermeront nos yeux...
Et nous n'en voudrons pas davantage à la pluie.

Puisqu'elle est, quelque part, la seule pauvre
                                    [amie

98

de ceux qui pensent, éveillés, jusqu'au matin,
et, tout seuls, dans leur lit, avec la fièvre aux
                                                    [mains,
l'écoutent, consolés, leur tenir compagnie
de son petit sanglot par la plaine endormie...

et ruisseler toute la nuit dans les jardins...

... Nous irons si longtemps, si longtemps, par la
                                                    [plaine
qu'à la fin... à la fin, exténuée, hors d'haleine
et le cœur gros, tu ne pourras plus faire un pas.
— Alors, c'est moi, soudain, qui porterai ta peine,
ta peine reposée et bercée à mon pas,
qui sera presque du bonheur, puisqu'il faudra
que je te prenne dans mes bras...

— Alors... Alors, il faudra bien que ces lointaines
ces premières lueurs lointaines d'un pays,
à mes yeux fatigués d'avoir fouillé la nuit,
finissent par briller, paisibles et soudaines.
.. Rassurantes lueurs du bourg et des domaines
.. lampes de la veillée et veilleuses lointaines
et foyer, quelque part, d'une auberge — lueur
de l'auberge où, ce soir, j'emporte ma compagne,
de l'auberge, là-bas, que tout ce soir je gagne,
ton cœur contre mon cœur...

Et dans la toile rude à l'odeur de campagne
où nous reposerons nos membres douloureux
en rêvant au bonheur tranquille des campagnes,
en parlant de la nuit et des chemins peureux,
— ta chair sera si douce et tiède et parfumée,
ta douce chair d'amour, ta chair de bien-aimée,
ta chair où l'on s'endort, ta chair consolatrice,

qu'elle sera pareille aux linges des églises,
délicats et divins, linges de soie et d'or,
que l'on met soigneusement autour des calices,
pour que le sang de ceux «tristes jusqu'à la
                                        [mort»,
qui font l'étape, un soir, seuls avec une croix,
en laissant sur la route, où, silencieux, ils
                                        [passent,
un peu de pauvre sang que des femmes
                                        [ramassent,
— pour que ce sang précieux, dans les calices
                                        [froids,
coulé des pieds, les soirs, coulé des faces lasses
— pour que ce sang des Christs ait moins mal et
                                        [moins froid.

RONDE[1]

(À Guinle, pour qu'il y mette un air)

> « Nous n'irons plus au bois
> Les lauriers sont coupés... »

X

Le soir est doux, la ronde est folle,
Donnez vos mains, ô mes frivoles,
Allons danser sous les tilleuls !...

Nos cœurs et vos jupes s'envolent ;
le soir est bleu, mon âme folle ;
Allons tourner sous les tilleuls !...

X

1. Poème copié sur l'original, un papier quadrillé de format 11,2 × 17,6. Nous respectons l'orthographe, la ponctuation et la répartition des « x » entre les strophes.
    Ce poème est de juillet 1905.
    Désormais la vie de Fournier est dominée par le souvenir éblouissant de la «jeune fille» et de ses deux rencontres avec elle à l'Ascension et à la Pentecôte 1905.
    Mais le 2 juillet Henri Fournier part pour Londres, et la solitude, l'éloignement de ses parents concourent à faire lever en lui une très grande nostalgie pour son pays en même temps qu'il prend de la hauteur par rapport à ses sentiments. L'écriture devient sa grande occupation et le remède à sa nostalgie.
    Il envoie d'abord à sa sœur ce poème sans doute déjà écrit avant son départ puisqu'il avait demandé à son ami Guinle d'en composer la musique. Henri n'a pas dit tout de suite à sa mère que ces vers étaient de lui et elle les «aime beaucoup» sans se douter que son fils n'en est pas à son coup d'essai. Seule sa sœur est dans le secret et, naturellement, Jacques Rivière.

... On tournera jusqu'au froid
avec « la belle que voilà »...

X

La fillette entre dans la ronde ;
La place est brune, la ronde est blonde
Et le soir chante au pas des portes...

Mon âme est la fillette blonde :
Nous n'irons pas courir le monde !
Restons danser au pas des portes !...

X

... On a dansé jusqu'au froid
avec « la belle que voilà »...

Encore un tour avant la nuit —
Un tour, avant d'avoir grandi —
Un tour, et nous irons dormir ! —

Au dernier — sous les marronniers —
Au dernier tour.. on a tourné..
.. on a tourné jusqu'à mourir !

X

... on a tourné jusqu'à mourir...

À TRAVERS LES ÉTÉS[1]

(À une jeune fille
À une maison
À Francis Jammes)

Attendue
À travers les étés qui s'ennuient dans les cours
en silence
et qui pleurent d'ennui,
Sous le soleil ancien de mes après-midi
Lourds de silence
solitaires et rêveurs d'amour

d'amour sous des glycines, à l'ombre, dans la
                                            [cour
de quelque maison calme et perdue sous les
                                          [branches,
À travers mes lointains, mes enfantins étés,

1. Première publication : *Miracles,* pp. 99-102.
     C'est à Londres qu'Henri Fournier a composé cette pièce de vers
entre le 16 et le 23 juillet. Il y évoque pour la première fois celle qu'il a
rencontrée au Cours-la-Reine un mois plus tôt. À Jacques Rivière,
Henri explique dans une lettre ce qu'il a voulu faire : «J'ai dit tout ce
que je voulais dire sur elle» (23 juillet 1905), mais il ne lui envoie
le poème que le 13 septembre et c'est seulement le 20 que Rivière
en accuse réception et lui en fait un commentaire serré. (Voir
Correspondance Jacques Rivière - Alain-Fournier, lettre du
20 septembre 1905). Jacques Rivière souligne l'influence de Francis
Jammes auquel Fournier reconnaît ce qu'il doit, et dont il dira le
4 octobre : «Francis Jammes m'a autorisé à dire beaucoup de choses
que je n'aurais pas osé dire. Voilà son influence qui est grande et que
je ne ne nie pas.»

ceux qui rêvaient d'amour
et qui pleuraient d'enfance,

Vous êtes venue,
une après-midi chaude dans les avenues,
sous une ombrelle blanche,
avec un air étonné, sérieux,
un peu
penché comme mon enfance,
Vous êtes venue sous une ombrelle blanche.

Avec toute la surprise
inespérée d'être venue et d'être blonde,
de vous être soudain
mise
sur mon chemin,
et soudain, d'apporter la fraîcheur de vos mains
avec, dans vos cheveux, tous les étés du Monde.

★

Vous êtes venue :
Tout mon rêve au soleil
N'aurait jamais osé vous espérer si belle,
Et pourtant, tout de suite, je vous ai reconnue.

Tout de suite, près de vous, fière et très
                                        [demoiselle,
et une vieille dame gaie à votre bras,
il m'a semblé que vous me conduisiez à pas
lents, un peu, n'est-ce pas, un peu sous votre
                                        [ombrelle,
à la maison d'été, à mon rêve d'enfant,

à quelque maison calme, avec des nids aux toits,
et l'ombre des glycines, dans la cour, sur le pas

de la porte — quelque maison à deux tourelles
avec, peut-être, un nom comme les livres de prix
qu'on lisait en juillet, quand on était petit.

Dites, vous m'emmeniez passer l'après-midi
Oh! qui sait où!... à «La Maison des
                                    [Tourterelles».

★

Vous entriez, là-bas,
dans tout le piaillement des moineaux sur le toit,
dans l'ombre de la grille qui se ferme, — Cela
fait s'effeuiller, du mur et des rosiers grimpants
les pétales légers, embaumés et brûlants,
couleur de neige et couleur d'or, couleur de feu,
sur les fleurs des parterres et sur le vert des
                                    [bancs
et dans l'allée comme un chemin de Fête-Dieu.

Je vais entrer, nous allons suivre, tous les deux
avec la vieille dame, l'allée où, doucement,
votre robe, ce soir, en la reconduisant,
balaiera des parfums couleur de vos cheveux.

Puis recevoir, tous deux,
dans l'ombre du salon,
des visites où nous dirons
de jolis riens cérémonieux.

Ou bien lire avec vous, auprès du pigeonnier,
sur un banc de jardin, et toute la soirée,
aux roucoulements longs des colombes peureuses
et cachées qui s'effarent de la page tournée,
lire, avec vous, à l'ombre, sous le marronnier,
un roman d'autrefois, ou «Clara d'Ellébeuse».

Et rester là, jusqu'au dîner, jusqu'à la nuit,
à l'heure où l'on entend tirer de l'eau au puits
et jouer les enfants rieurs dans les sentes
                              [fraîchies.

★

C'est Là... qu'auprès de vous, ô ma lointaine,
je m'en allais,
et vous n'alliez,
avec mon rêve, sur vos pas,
qu'à mon rêve, là-bas,
à ce château dont vous étiez, douce et hautaine,
la châtelaine.

C'est Là — que nous allions, tous les deux,
                              [n'est-ce pas,
ce dimanche, à Paris, dans l'avenue lointaine,
qui s'était faite alors, pour plaire à notre rêve,
plus silencieuse, et plus lointaine, et solitaire...
Puis, sur les quais déserts des berges de la
                              [Seine...
Et puis après, plus près de vous, sur le bateau,
qui faisait un bruit calme de machine et d'eau...

CHANT DE ROUTE[1]

> « ... *des grandes routes où nul ne passe* »
>
> Jules Laforgue

Un conquérant, puis tous, chantent :

Nous avons eu la fièvre
de tes marais.
Nous avons eu la fièvre et nous sommes partis.

Nous étions avertis
qu'on ne trouvait
que du soleil
au plus profond de tes forêts.

Nous avons eu des histoires
de brancards
cassés,
de fers perdus,
de chevaux blessés,
d'ânes fourbus
et suants qui refusaient d'avancer.

1. Poème d'août 1905. Première publication : *Miracles*, 1924, pp. 103-105.
Jacques Rivière discernera dans *Chant de route* une influence de Verhaeren : « la disposition des vers, des strophes, les expressions, l'allure générale, tout est Verhaeren, et ne vaut pas la peine de donner au poème une dédicace déroutante ».
Fournier reconnaîtra le pastiche et s'en expliquera (Voir lettres de J.R. du 7 septembre 1905 et de Fournier du 13 septembre).

107

Nous avons perdu la mémoire de ces histoires
que l'on raconte à l'arrivée :
nous n'avions pas l'espoir
d'arriver.

Nous avons pris les harnais
pour nous en faire
des souliers.
Nous sommes repartis, à pied dans tes genêts
qui font saigner les pieds
et nos pieds ont saigné,
et nos pieds ont séché
dans ta poussière,
en marchant,
et nous avons guéri leurs plaies
en écrasant,
en marchant,
le baume et les parfums sauvages de tes
                                        [bruyères.

Nous aurions pu asseoir
au revers des fossés
nos corps fumants et harassés.
Nous n'avions rien à dire : nous n'avions pas
                                        [d'espoirs.
Nous n'avions rien à dire ; nous n'avions rien à
                                        [boire.
Nous avons préféré la déroute
sans fin
des horizons et des routes,
des horizons défaits qui se refont plus loin
et des kilomètres qu'on laisse en arrière
dans la poussière
pour attraper ceux qu'on voit plus loin,
avec leurs bornes
indicatrices de villes aux noms lointains

aux noms qui sonnent
comme les cailloux de tes chemins
sous nos talons.

Nous n'atteindrons jamais les villes de
                                        [merveilles
qui ne sont que des noms
qui sonnent,
les noms des villes qui sont mortes au soleil.

Mais nous, nous voulons vivre au Soleil,
de tes cieux
avec nos crânes en feu,
et faire sonner sans fin les étapes de gloire
avec nos pieds d'étincelles.
Nous avons pour chanter des gosiers de victoire
et nous avons nos chants pour nous verser à
                                        [boire
et nous avons la fièvre
de tes marais séchés au grand soleil
de tes routes de poussière
de tes villes de mirage.

nous avons eu la fièvre
de tes forêts sans ombre — et tes bruyères des
                                        [sables
avec leurs regards roux et leurs parfums
                                        [sauvages
nous ont donné la fièvre.

SOUS CE TIÈDE RESTANT[1]...

2 septembre [1905]

Sous ce tiède restant
de soleil,
par ce beau temps
doux de septembre
parfumé, clair et doré comme une abeille,
je songe à celle
qu'était, dans le verger, à petits pas pressés,
dix ans passés
la petite vieille[2].

Et je voudrais, comme l'autre année,
entrer là-bas secouer les poires,
dans son verger abandonné,
et la croire,
son mouchoir noué autour des tempes,
son visage,
ridé, tendu, tout à sa tâche de Septembre
là, sous les poiriers,
à emplir son tablier,

---

1. Première publication : *Miracles*, 1924, pp. 107-109.
Jacques Rivière aimera beaucoup ce poème qu'il préfère même à « À travers les étés », « d'abord parce que tout souvenir de Francis Jammes a disparu ou à peu près, et ensuite parce que tu manies mieux (le vers libre) ». « Dans tout cela je vois dans quel sens très heureux Verhaeren a influé sur toi. Tu te l'es très bien assimilé et, comme tu as bien vu ses défauts, tu t'en es gardé. » (Lettre de J.R. 26 septembre)
2. Il s'agit de Rosine Deschamps, amie de « Maman Barthe », la grand-mère maternelle d'Henri Fournier.

ou à étendre
de toute sa vieille petite âme villageoise,
des linges frais lavés sur les haies de framboises.

Je sais qu'elle est, par ces derniers beaux temps,
une âme, là-bas, dans les jardins,
à mi-chemin
de la côte et qu'elle m'attend.
Puisqu'il y a toujours des histoires à dire
sur des bancs
des histoires anciennes de son jeune temps,
sous le vieux ciel doux de Septembre,
et des poires à cueillir
dans les jardins de ses enfants
des poires qui sentent comme son armoire, il y a
le miel et l'ambre.   [dix ans,

Peut-être que là-bas,
personne ne sent
que tout cela c'est son âme qui bat
doucement.
Il n'y a que moi.
Personne ne saurait
ouvrir la barrière,
entrer,
sans troubler la prière
de l'enclos silencieux et du verger désert
où son âme se plaît.

Personne au village
ne sait, personne.
Et c'est moi, tous les ans, qui fais ce pèlerinage
avant que le grand vent fou d'automne
de ses grandes mains brutales et folles
secoue, en hurlant, les vergers,
casse les branches et fasse sauter
les poires oubliées

et souffle — comme un soir, il y a dix années,
et comme chaque année,
après mon départ,
souffle, en hurlant, la chandelle
et l'âme de la petite vieille,
un soir,
par les vallons et par le ciel.

PREMIÈRES BRUMES DE SEPTEMBRE[1]

> « *Crois-moi, c'est bien fini*
> *jusqu'à l'année prochaine.* »
>
> Jules Laforgue

Premières brumes de septembre
sur les fougères, les bruyères, dans les landes,
par les chasses, dans les sapins.

Premiers feux dans les bourgs, flambées de
[grand matin
qui craquent et luisent dans les salles
obscures des auberges, des fermes et des
matinales.   [chaumières

Venu de loin par les frais grands chemins
dans sa voiture couverte,
l'épicier ambulant s'arrête
pour causer, vendre et se chauffer les mains,
et laisse son attelage qui grelotte

1. Première publication : *Miracles*, 1924, pp. 111-112.
À partir de ce poème, qui date de septembre 1905 comme le précédent, on sent que Fournier cherche une veine nouvelle. Se débarrassant de la poésie symboliste dont il est encombré, il se tourne délibérément vers le récit paysan et cherche à en exprimer la rudesse autant que la poésie concrète et quotidienne très simple. « Pour exprimer ceci, écrit-il un peu plus tard à Jacques Rivière, je n'ai encore rien trouvé de plus beau que le langage des paysans parlé par moi. Ma prose et mes vers seraient à ce langage ce qu'est peut-être la musique de Debussy à la parole humaine. » (9 novembre 1906)

et fume aux portes
entr'ouvertes,

Et j'aperçois aux murs, par éclats de lumière,
avant qu'on ait ouvert
les volets,
les images et les chromos qu'on verra tout l'hiver
rougeâtrement illuminés
représenter au-dessus de la cheminée,
dans les salles obscures
et basses des chaumières, des fermes et des
                                        [auberges,
de belles dames avec des manchons et des
dans des paysages de neige.   [fourrures

Et j'entends : « Pas chaud, ce matin ! — Voilà les
                                        [froids.
— Il a dû geler blanc, cette nuit, dans les bois. »
— Oh ! nous étions si bien partis pour les étés !
va-t-il falloir
ce soir
fermer encore toutes les portes des châteaux
et s'en retourner ?
s'en revenir, enveloppés dans les manteaux,
le long des routes en châtaignes
dégringolées,
gelés,
dans les voitures à ânes et les calèches toutes
                                        [pleines
de consternés et petits désespoirs,
avec les vacances finies qui s'en reviennent.

LES GENS DU DOMAINE[1]

(Fragments)

Ce sont [les deux filles de campagne] celles que je devrais voir, cet après-midi d'automne, loin devant moi, sur la route, s'en aller sous la pluie. Elles ont leurs jupes relevées par derrière sur la tête, et leurs pieds se mouillent. Elles se taisent, par instants : on entend leur double pas et l'eau du grand ciel gris qui s'égoutte dans les haies et trempe leurs jupons de dessous. Elles causent, pour dire qu'elles ont froid aux mains et qu'elles voudraient bien être arrivées.

Je serais celui de l'autre côté de la haie, qui tient la charrue, en sifflant, dans les sillons bourbeux. J'ai ouvert la barrière du champ, et je les ai rejoint pour que nous fassions route ensemble.

Nous nous serions abrités, des instants, sous les ormes des fossés où les feuilles pourries pleuvent. À l'heure où la brume et la nuit

1. Texte rédigé sur un papier quadrillé au format 16,8 × 22,4. Ce feuillet porte, en marge, dans l'angle supérieur gauche, le numéro 3, et, à droite : « IX 3 », mais les deux pages qui, vraisemblablement, précédaient celle-ci n'ont pas été retrouvées. À n'en pas douter, il s'agit ici du fragment laissé en communication à Jacques Rivière, et que Fournier réclame à son ami le 29 janvier 1906 (*Cor.* I, p. 151) en le nommant « les Gens de la Ferme ». Rivière répond d'ailleurs le 2 février (*ibid.*, p. 162) : « Je suis presque sûr de t'avoir remis avant de te quitter le petit papier des *Gens du Domaine.* » Ce n'est que le 11 avril 1906 que Fournier retrouvera son texte sans doute glissé dans un livre (*Cor.* I, p. 229).

tombent, nous arriverions, quand les plus jeunes reviennent, encapuchonnés, de l'école, et font claquer leurs sabots. Nous serions passés dans les rectangles de lumière de la rue où les boutiques s'allument et sonnent. Au bout du bourg, dans le chemin du domaine, nous aurions sauté, de pierre en pierre, les flaques d'eau, aussi doucement que la demoiselle qui vient chercher du lait.

Elle nous trouverait, à présent, arrivés, silencieux — vous, à traire les vaches, au jour pluvieux et finissant qui vient de la porte — moi, éparpillant des bottes de foin dans les mangeoires. Vous lui donneriez, sans rien dire, dans vos godets de fer-blanc, ses sous de lait. La demoiselle, en retournant, de pierre en pierre dans l'eau noire du chemin, de lumière en lumière dans la rue des boutiques, jusqu'à l'abat-jour délicat de sa lampe, la demoiselle songe à notre vie de ce soir, devant le feu de fagots qui nous sèche, dans la salle basse où m'ont conduit les deux passantes de cet après-midi d'automne.

(Fragments de « Les gens du Domaine »)

Alain Fournier[1]

---

1. Ce manuscrit est peut-être le premier où apparaisse le pseudo-nyme d'Alain-Fournier ; le trait d'union n'y figure pas encore.

ET MAINTENANT QUE C'EST LA PLUIE[1]...

Et maintenant que c'est la pluie et le grand vent
de Janvier
et que les vitres de la serre
où je me suis réfugié
font, sous la pluie, leur petit bruit de verre
toute la journée,
et que le vent, qui rabat la fumée des cheminées,
dégrafe et soulève
les vignes vierges de la tonnelle,
Je ne sais plus où Elle est... Où est-elle ?

À pas pleins d'eau, par les allées,
dans le sable mouillé
du jardin
qui nous fut à tous deux notre rêve de Juin,
Elle s'en est allée...

et la maison
où nous avions, tout cet été,
sous les feuilles des avenues qu'on arrosait,

1. Poème de janvier 1906.
Première publication : *Miracles*, pp. 113-116.
Jacques Rivière n'accuse réception qu'en avril 1906 de ce poème qui renoue avec la série des «poèmes à deux», dans la ligne de «À travers les étés». Mais ici, c'est à une absente qu'Alain-Fournier adresse sa plainte mélancolique.
Rivière trouve à ce texte des affinités avec Vielé-Griffin et il ajoute «Tu ne me sembles pas encore en possession de ton style, de celui qui sera le tien, de celui qu'il te faut "mériter et conquérir" (5 avril 1906) et Henri lui répond le 21 : «En aucune façon je n'ai encore trouvé ce que je veux trouver».

imaginé
de passer notre vie comme une belle saison,

la maison,
dans mon cœur, abandonnée, est froide
avec son toit
d'ardoise luisant d'eau,
et ses nids de moineaux
dénichés et pourris qui penchent aux corniches
et traînent dans le vent...

Il va bientôt faire nuit,
et le grand vent bruineux tourne les parapluies
et mouille au visage
les dames qui reviennent du village
et ouvrent la grille...

Mon amie
O Demoiselle
qui n'êtes pas ici,
cette heure-ci
passe, et la grille ne grince pas,
je ne vous attends pas,
je ne soulève
pas le rideau
pour vous voir, dans le vent et l'eau,
venir.

Cette heure passe, mon amie,
Ce n'est pas une heure de notre vie...
et nous l'aurions aimée, pourtant, comme toutes
de toute la vie   [celles
apportée simplement dans vos mains graves de
                                                  [dame belle.

Vous êtes partie...
Il bruine

120

dans les allées
qui ont mouillé
vos chevilles fines.
Il bruine dans les marronniers
confus et sombres
et sur les bancs où, cet été, à l'ombre,
avec l'été
vous vous seriez assise, blonde!

Il bruine sur la maison et sur la grille et dans
de l'entrée   [les ifs
que, pour la dernière fois
peut-être je regarde, en songeant à mi-voix
peut-être pour la dernière fois :

« Elle est très loin... où est-elle... son front pensif
appuyé à quelle croisée ? »

À la tombée de la nuit,
je vais fermer, aux fenêtres d'ici,
les volets qui battent et se mouillent,
et j'irai sur la pelouse
rentrer
un jeu de croquet oublié qui se mouille.

DANS LE CHEMIN QUI S'ENFONCE[1]

Dans le chemin qui s'enfonce à la ferme
au soleil taché d'ombre, entre deux haies
d'où sortent, pour rentrer, les poulets —
Apparue
à la barrière d'un champ,
venue à travers blés,
tenant d'un geste négligent
la robe fraîche et l'ombrelle qui traînent —
Vous voici revenue,
par le chemin de noisetiers,
vers la maison de notre amour abandonné.

O cérémonieuse amie lointaine, vous ne trouverez
la Maison-Belle de l'été passé :   [plus
l'autre été, l'autre amour
sont passés — et revenus
au soleil dur, parmi les paysans grossiers,
vers les pauvres maisons d'autrefois et de
                                                    [toujours,

Et pourtant,
ô ma sérieuse amie, ma silencieuse, ma fidèle

---

1. Poème d'août 1906. Première publication : *Miracles*, pp. 117-121.

Reprise du thème paysan, mais la promenade au pays de l'enfance se fait, contrairement au poème précédent, en compagnie de la « Demoiselle ».

C'est le dernier des poèmes en vers composés par Alain-Fournier.

lointaine amie, n'ayez pas peur pour venir, pour
                                        [me suivre
chez les paysans graves, silencieux et lents,
dans la cour où l'on attelle
la jument,
pour vous asseoir sur la planche de cuir
brûlante qui balance,
attachée par deux cordes derrière le siège
de la voiture.

Ouvrez votre ombrelle
comme ça...
là.
Le paysan va vous dire : « Mademoiselle
vous auriez été mieux sur le devant. »
Dites-lui doucement
comme si vous existiez, que non.

Et restons,
balancés, secoués, à regarder...

On s'arrête... ho...
— là ! sur la route devenue,
après des côtes et des descentes et des tournants
dans le petit pays, la rue
où le charron
a mis sécher une voiture ;
où, du côté de l'ombre,
les femmes cousent au bord des fenêtres
On s'arrête en plein soleil,   [obscures.
devant une maison.

N'ayez pas peur pour passer sur le pont
du fossé.
J'enlève le loquet
de la barrière blanche ; et, sous la treille,
dans la petite cour aux murs de bouquets

enfin, malhabilement, enfin !
voici vos mains
sur la poignée noire de la porte dure.

On ne nous attend pas.
Personne n'est sorti, la main sur les yeux,
pour nous voir arriver. La voiture s'en va.
Nous sommes là, tous deux, n'osant pas
ouvrir, ou pousser le volet qui coupe en deux
la porte paysanne, et apparaître aux vieux.

N'ayez pas peur... que de ne pas assez
follement
aimer la folle impossible journée...

Et repartons... Allons-nous-en
vers les toits
semés entre les arbres, sous le ciel fleuri blanc,
éblouissants, à l'horizon
comme des morceaux de cailloux ou de miroirs,
dans l'herbe et les fleurs de blé noir.

O Taille-Mince[1]
on va dire, dans les champs,
que votre taille tiendrait dans
la ceinture des deux mains ainsi jointes.

O Blonde,
O ardente apparue, ô cheveux blonds,
on va vouloir vous couronner,
pour vous faire honneur, de la fleur

---

1. «Taille-Mince» n'est qu'une des périphrases affectueuses par
lesquelles Fournier va désigner la jeune fille du Cours-la-Reine. Cf.
Cor. Jacques Rivière - Alain-Fournier, I, pp. 171 et 247, et *Lettres au
Petit B.*, p. 141. Le 26 janvier 1907, il écrira à J. Rivière : «Un jour
d'irrévérence-maladie, je l'ai appelée de ce nom qui lui va par moments
Amy Slim (Aimée Mince, mais ces mots anglais disent plus).» (*Cor.* II,
p. 2.)

des moissons —
et de soleil, cueillis au faîte des batteuses
qu'on entend lointainement ronfler par la
et haleter, et qui crachent   [campagne
dans les cours, la paille poussiéreuse.

Oh! mon amie,
j'appuierai ma tête
j'appuierai ma tête sur votre robe
dans la salle basse et froide où nous sommes
et ce sera comme si   [assis,
depuis l'aube
nous étions partis à travers blés pour la folle
                                  [journée;
comme si, tous les deux, nous avions entendu,
en passant au bourg,
le roulement lourd
de la porte humble et du volet vermoulu,
et, en passant à travers champs,
le haletant bourdonnement des machines des
                                  [champs;
puis ce sera comme si nous étions arrivés
au soir, dans la salle basse de la ferme inconnue
où nous irons demander du lait.

LE CORPS DE LA FEMME[1]

À Maurice Denis

★

Cette femme que j'ai vue, en passant devant elle, prier au chœur de la cathédrale, m'a rappelé qu'il faut parler du corps de la femme et comment il faut en parler :

On ne voyait d'elle, agenouillée et inclinée sur le prie-dieu, qu'un pan de jupe et, sous les ailes noires d'un grand chapeau penché, ses mains gantées croisées au bas de sa voilette. Elle était,

1. Première publication : *Miracles,* pp. 125 à 135.
Terminé en septembre 1907, cet essai sera le premier texte de Fournier publié en revue et c'est aussi la première fois qu'apparaît son demi-pseudonyme : Alain-Fournier. L'article paraîtra dans *La Grande Revue* de Jacques Rouché le 25 décembre 1907. Il fut écrit en réponse et en opposition à un article de Pierre Louÿs intitulé «Plaidoyer pour la liberté morale» paru dans *Le Mercure de France* d'octobre 1897.
La dédicace à Maurice Denis et l'hommage final au peintre correspondent à la grande admiration que Fournier et Rivière éprouvèrent pour ses premières œuvres. Le sujet traité par Fournier est une tentative pour exprimer la grande pureté du regard qu'il porte sur la femme en général et qu'il immortalisera dans son amour pour Yvonne de Galais, d'ailleurs fugitivement présente dans ce poème sous les traits de la jeune femme agenouillée sous les ailes de son grand chapeau, telle qu'il l'avait aperçue le jour de la Pentecôte dans l'église de Saint-Germain-des-Prés.
Jacques Rivière fit un commentaire enthousiaste de ce texte dans sa lettre du 2 octobre 1907.
Fournier, lui, envoya ce texte à la jeune femme qui lui confirma en 1913 l'avoir reçu et aimé.

sous la vieille lumière des vitraux terribles, une
jeune femme à la mode de maintenant. Parmi le
culte solennel et sévère, dans la procession des
patriarches, elle était la petite fille, la fiancée et
la maman. Cela paraissait étrange et charmant
de la voir ainsi, donner, comme elle dit, toute son
âme au bon Dieu; et pourtant, je ne trouvais
point profane, sur les dalles tachées de rouge et
de bleu par les sombres vitraux éclatants, cette
chose cérémonieuse, enfantine et à la mode, ce
grand corps délicieux, dans sa robe à entre-deux,
tout gauchement installé sur la chaise d'église,
car, en vérité cela était plus sacré, plus désirable
et plus pitoyable que Dieu.

★

Le corps féminin n'est pas cette idole païenne,
ce nu de courtisane qu'Hippolyte Taine et
M. Louÿs ont exhumés des siècles grecs[1]. L'admiration de sculpteur ou d'humaniste, qu'ils ont
cherché à nous inculquer, ne nous satisfait point;
nous ne pouvons nous en tenir, non plus, à la
physiologie grossière qu'un Remy de Gourmont

---

1. L'allusion à Pierre Louÿs s'éclaire très simplement, puisque nous
savons qu'Alain-Fournier répond à l'article que l'auteur d'*Aphrodite* a
publié dans *Le Mercure de France* d'octobre 1897, «Plaidoyer pour la
liberté morale». P. Louÿs y regrette que «la nudité et l'amour [soient]
des objets de scandale», alors que ce sont «des objets de contempla-
tion». Et de plaider, en particulier pour la nudité au théâtre... Louÿs
énumère sous quelles influences néfastes l'exaltation de la chair s'est
trouvée étouffée au cours des siècles. Il voit en saint Paul, par-delà
Luther, «l'inspirateur premier de toutes les luttes livrées depuis dix-
huit cents ans contre l'inébranlable Grèce».
Il est moins aisé de savoir à quel texte précis de Taine se réfère
Alain-Fournier. Nous pensons qu'il a ici en mémoire tel chapitre de la
Philosophie de l'Art, où l'auteur évoque «la civilisation grecque et la
sculpture antique», en insistant sur le culte de la beauté des corps et de
la nudité, et sur l'importance de la statuaire en Grèce (Première partie,
chap. 2, § V, Quatrième partie, «La sculpture en Grèce»).

voudrait affiner de son talent[1]. Leurs raisons et leurs humanités n'enlèveront pas de nos moëlles le passé de notre race, de nos souvenirs, le passé de notre enfance; et n'empêcheront pas que la plus forte passion humaine, l'amour, n'émeuve en nous ce qu'il y a de plus subtil et de plus lointain : ce passé, et que, selon ce passé, ne soient façonnés nos plus précieux désirs. Voici la forme humaine de nos désirs; voici celle qui vient pour être notre femme et partager notre vie : cette douceur passionnée qui nous envahit mystérieusement à son approche, c'est la première hésitante émotion de reconnaître ce même être, anciennement apparu, ce même corps féminin tout mêlé au mystérieux passé enfantin et chrétien.

Premiers souvenirs d'une existence féminine confondue avec ce matin où Elle nous emmenait pour faire ses Pâques. On s'en allait, pour la messe du grand matin, car on se cachait un peu, entre les haies d'un chemin détourné. À cette tranquillité, à cette douceur mystérieuses en nous, nous sentions sa présence; et nous savions que cela était une femme, la seule au monde, et que cela était vivant comme nous : elle s'était levée de bonne heure, m'avait réveillé, habillé, pris par la main et, selon que le sentier s'élargissait ou se creusait, je tenais ses doigts gantés, ou je suivais, entre les ronciers pendants à terre, la traîne grise de sa robe — tandis que la fraîcheur du soleil levant nous donnait à tous deux le même petit claquement de dents.

1. Allusion à l'ouvrage publié par Remy de Gourmont en 1903, *Physique de l'amour, Essai sur l'instinct sexuel*, Paris, Société du Mercure de France, 295 p.

Jeune mère venue de bonne heure pour prier et faire ses dévotions! Quel visage incliné, quelle robe modeste pourra jamais lui ressembler assez — jusqu'à nous évoquer cet autre matin du temps de Pâques, quand elle s'en allait à la Cathédrale, par la rue aux pavés inégaux : elle était sortie par une petite porte; cette porte basse où l'on sonne et que la servante met longtemps à venir ouvrir, dans les quartiers de la ville de province; on sentait autour d'elle l'odeur matinale et assoupie de cette heure où le soleil commence à filtrer au travers du bouleau qui dépasse le mur. Et depuis, nous avons gardé l'image lointaine et l'amour obscur d'une jeune femme inconnue qu'on voit venir de loin vers soi, entre les platanes de l'avenue et les bouleaux pendants; du corps de cette femme, nous ne désirons rien que la fraîcheur et l'obscurité d'autrefois; et nous ne saurions pas qu'il existe, plus qu'une ombre soyeuse et pressée parmi les ombres lentes du matin, si nous ne nous souvenions qu'Elle mettait dans son petit sac, pour la faim de huit heures après le jeûne de la communion, une raie de chocolat enveloppée de papier d'étain.

Ce corps ainsi doucement réapparu, ce n'est pas en le dévoilant que nous le connaîtrons mieux : depuis des siècles, sous le climat de nos pays, il s'est enveloppé; depuis notre enfance, nous lui connaissons ce vêtement. Et cette toilette, bien autre chose qu'une parure, est devenue comme la grâce et la signification essentielles du corps féminin; toute cette atmosphère délicate, féminine, maternelle, de la vie d'autrefois, imprègne impalpablement le vêtement de celle qui doit être notre vie à venir et notre famille : et c'est pourquoi revoir ce costume maternel donne aux enfants que nous sommes, encore, au plus profond, au plus passionné de nous-mêmes, ce désir, immense et mystérieux comme le monde de l'enfance, âcre comme le regret de l'impossible passé.

Ceci est la jupe où se marquent les genoux quand, tout petit, on nous étend sur ces genoux et on nous emmaillote ; c'est serré à la taille et la fait si fragile qu'on craignait de la voir se briser, quand le petit garçon, prenant les mains de la maman, sautait à cheval autour ; et voici le corsage où les enfants qui pleuraient de froid ont cherché les coins chauds et se sont endormis. — Ces mains, ce sont les mains qui, après le dernier coup de la messe, ajustent rapidement le costume marin, et donnent au bas de la jupe minuscule de petits coups qui la défripent ; ce sont les mains qui poussent doucement sur le porche de l'église, le petit enfant intimidé par des hommes en blouse à genoux autour du bénitier : elles ont gardé le goût de cire des gants noirs et du livre jetés sur la table au retour de la messe[1]... Les

1. Déjà, le 11 avril 1905, Henri Fournier avait écrit à la première Yvonne qu'il ait connue et fréquentée pendant quelque dix-huit mois, en 1904 et 1905 : «... Je me rappelais, avec tant au cœur de douce nostalgie, les matins de dimanches où ma mère m'emmenait à la messe (tout petit), un col marin blanc, et me tenant à sa robe). Elle, passé la grille de notre immense cour commençait à mettre ses gants, lentement à ses longs doigts, à boutonner au poignet, en serrant un peu les lèvres, chaque bouton des gants de peau qui sentaient l'armoire, les sachets du salon, l'encens et le pain bénit. Lentement, elle fermait une à une chaque boutonnière, et, lorsque nous arrivions au mur moussu de l'église dont on entendait, avant d'entrer, les chants, la clochette et le sacristain, elle avait de longues mains parfumées, douces et «ocres» qui me poussaient doucement sous le porche...» (Lettre citée in Jean Loize, *Alain-Fournier, sa vie et le Grand Meaulnes*, Hachette, 1968, p. 62.)

femmes de la saison dernière avaient des mains merveilleuses, dans de longues mitaines au crochet qui leur montaient jusqu'au coude. Je me rappelle cette douceur et cette amertume, qui m'ont désolé quand, sur le bateau, à l'ombre de juin, sont venus s'asseoir en face de moi deux enfants et une jeune femme. La Mère était jeune et les enfants posaient des questions. Elle écoutait simplement, en croisant sur son ombrelle ses mains habillées de dentelle, puis au petit garçon debout devant elle et qui la questionnait, elle tirait des fils restés à son costume, et elle répondait un peu, tout bas. Je l'ai vue s'en aller, je ne sais où, dans le soleil. Pour monter l'escalier de pierre du quai, les enfants tenaient ses mains, ses mains merveilleuses... Je crois qu'elle était blonde, les cheveux relevés derrière le cou, avec des inflexions de cou. Cheveux de la jeune fille, de notre pays! Comme cette chevelure est devenue blonde sous notre ciel, sous le bonnet de paysanne, et, plus tard, sous le grand chapeau de roses!... Dans la salle à manger d'un été très lointain, où les stores seraient baissés, notre femme rangerait dans l'ombre et sa chevelure, par moments, éclaterait dans un rais de soleil.

La vie passée, la vie désirée, toute cette vie de France nous est offerte dans ce corps féminin. Mais comme cela est impalpable et comment oserions-nous y toucher, puisque toute l'essence et la délicatesse du corps de la femme est dans son vêtement — dans cette voilette, chaude de sa peau, fraîche de son haleine, voilette, au retour de voyage, embrassée avant qu'elle ne soit relevée, voilette de la dame qui revient de visites, l'hiver, voilette humide serrée au visage.

Femme, si nous avons tant rôdé autour de ton corps, certains soirs que tu étais une petite fille

*en toilette, c'est à cause de cette fraîche odeur de
linge qu'il avait pour nos têtes enfiévrées de
jeunes gens, odeur féminine, maternelle et ména-
gère, fraîche comme une tombée de la nuit au
printemps, dans la salle à manger où l'on rac-
commode le linge de famille.*

★

C'est ainsi qu'il nous est précieux : tel que notre
vie passée et nos coutumes l'ont fait, tout
confondu avec son passé, tout paré de cette vie
qu'il nous rapporte, de cette féminité qu'on lui a
transmise — avec ce goût d'éphémère que lui
donne la mode ! Tandis que l'idole grecque de
M. Louÿs, cette «nudité sculpturale» dressée sous
les lustres ne nous est rien de plus qu'une
abstraction. Malgré Taine, nous ne pouvons plus
penser, ni surtout sentir à la façon grecque : dès
qu'il ne s'agit plus de froide spéculation, mais de
passion, ce sont les quinze siècles de «barbarie»
occidentale qui revivent en nous. Et que nous
assistions aux exhibitions dont M. Louÿs a
plaidé jadis la nécessité, notre admiration sera
forcée, livresque, pédante ; ou peut-être rirons-
nous de ce que nous prendrons pour une auda-
cieuse plaisanterie : mais si le mot de «femme»
est prononcé, le vieux paysan de Beauce ou de
Touraine, l'homme de toutes convenances et de
toutes traditions, parlera en nous en son vieux
langage grave et silencieux :

*«La nuit tombe, sur nos chemins creusés de
flaques de pluies, à l'heure où ce music-hall
s'allume comme une suspension d'auberge. Le
corps de la jeune femme n'est pas quelque chose
qu'on exhibe à l'auberge. Nous le savons humble*

et non pas triomphant, humble et gauche, et faible, et frileux. Nous n'avons pas connu ce qu'il était sous le ciel d'Alexandrie, mais à cette heure, il s'en va là-bas, sous un grand parapluie, vers la ferme éloignée du bourg. Si cette pluie de la Toussaint redouble, il va s'abriter, un instant, sous la haie battue de rafales, tout frissonnant et replié. Faible chose enveloppée de laine et de futaine, tel est le corps de la femme. Misérable chose, car sous l'auvent noirci de nos cheminées, nous nous transmettons tacitement cette vérité, que la chair est laide, honteuse et cachée : et nous sourions, incrédules, quand on raconte qu'autrefois des peuples très sauvages l'ont mise à nu publiquement et admirée ! Si, gravement et secrètement, les fermières fécondes qui ont enfanté notre race, se sont dévêtues, c'est au fond de nos grandes salles obscures, auprès de nos grands lits surélevés comme des dômes. — Et la servante de « La Belle au Bois Dormant » n'est pas venue tirer le rideau, car l'alcôve paysanne est fermée depuis des siècles d'un rideau de cretonne bleue. »

Telle, avec les anciennes voix, catholique et enfantine, la voix de notre race paysanne s'élève. Au fond de notre vieux délice d'amour, nous les entendons ; et, s'il est à ce point embelli et subtil qu'auprès de la jeune fille la plus belle et la mieux aimée, nous ne puissions imaginer la nudité de son corps — cependant, car il ne s'agit point ici de Morale, non plus que de Raison, mais d'amour, nous aussi, sans y penser, nous attendons le chaste dévêtement.

Mais cette attente est en nous comme ces rêves fiévreux des enfants amoureux, où l'on voit, dans leurs salons impossibles, à une heure tardive de la nuit des noces, des enfants mariés et d'autres, causant longuement et mystérieusement. — Et, même alors si nous l'imaginons précisément, le corps de la femme, dans sa nudité, ne sera point dévêtu du prestige dont nous l'avons paré: Les chastes et rigides vêtements qu'on lui voit aux vitraux du moyen-âge lui auront laissé leur forme; il en sort un peu raide, affiné légèrement, tendrement émacié. À la frileuse gaucherie de ses pas, à cette grâce — comme de draperie ou de manche pagode — qui accompagne le geste de ses bras, on sent enlevée à peine sa robe moderne et à la mode. Le chignon sur son front n'est pas défait, ni la natte en arrière de ses cheveux blonds... Nous ne pensons pas à la Vénus grecque, car ceci est encore féminin, maternel, innocent, avec cette humilité candide que lui enseigna l'Imitation de Jésus-Christ, avec cet air mystérieux et furtif qu'on lui vit, dressé dans le rond de ses habits tombés, au fond du «Jardin des Vierges sages»[1] et sur les «Plages», cette hâte joyeuse de revenir en grelottant au linge abandonné — tel enfin que l'a dessiné et colorié le peintre Maurice Denis, à qui, tout naturellement et affectueusement, cet Essai se dédie.

---

1. «Le Verger des Vierges sages» est une peinture de Maurice Denis (1893). L'artiste a aussi peint des «Baigneuses» en 1906.

DIALOGUE AUX APPROCHES DE NOËL[1]

— Il ne fait pas encore nuit; mais la longue soirée d'hiver s'achève. L'homme de journées va monter au grenier et jeter du bois pour la veillée... Maintenant que nous avons fini le pain de nos quatre-heures, accroupis (sur des poufs) derrière le grand pare-étincelles, et que nous ne pouvons plus lire, malgré les rideaux levés, dans le salon d'enfants obscurci, grande petite fille, ma grande petite fille, avec votre toque de velours et votre joue chauffée, contre ma joue[2], il est temps de quitter votre château et de rentrer chez nous, puisque nous sommes mariés.

— Rappelons-nous encore le château, le temps où je vous envoyais chercher, après l'école, pour voir mes poupées de Noël, et la lanterne magique dans le corridor noir du salon. Alain, je vous voyais, d'une fenêtre, arriver par la porte basse du jardin, en mettant votre pain dans votre

1. Le 5 décembre 1908, Fournier envoie ce texte à son ami René Bichet: «Je pensais d'abord l'envoyer rejoindre d'autres notes qui serviront à mon livre d'après le régiment. Puis j'ai préféré, en ayant le temps, l'arranger ainsi en un poème tout seul. Mais ce n'est qu'une façon de le mieux conserver jusqu'au moment où il sera fondu dans le reste du livre d'après le service militaire.»
Fournier se trouve alors à Laval où il suit depuis octobre le peloton des élèves-officiers dont il sortira avec le grade de sous-lieutenant.
2. Toutes ces images réapparaîtront dans la lettre qu'Henri enverra à Jeanne B., le 11 décembre 1910. Isabelle Rivière situe précisément cette scène, non dans un «château» de fiction mais dans le salon de la «Maison du Notaire», à Épineuil. (*Vie et Passion d'Alain-Fournier*, Monaco, Jaspard, Polus et Cie, 1963, p. 14.)

poche, et en tirant, [sagement], sous la ceinture, votre blouse remontée.

— C'est à mon tour, maintenant, Grande, de vous emmener. [Venez]: sous le porche et dans la grande allée au fin sable gelé, vous allez sentir au visage l'air glacial de la nuit d'hiver qui approche, et son souffle dans vos cheveux. Dans la rue du bourg, aux fenêtres des épiciers, il y a ces petits reposoirs de Noël, ces étalages de pauvres jouets sur un drap [blanc], qui nous arrêtaient, autrefois, les pieds dans la boue. Venez, la première lampe, celle de l'auberge, va s'allumer, toute la rue mouillée va luire, et cette lueur fait arriver la nuit. C'est maintenant, vous savez bien, que les dernières voitures quittent le bourg...

— Je me rappelle quand la lampe de la salle-à-manger n'était pas encore allumée, et qu'on frottait les carreaux ternis pour les voir passer — et celle du jeune ménage, la dernière, avec sa lanterne...

— Grande, Grande, venez. Les enfants qui sont restés nous attendre, sous la petite pluie, à la grille de notre cour, se disent qu'il est déjà grand temps de rentrer.

— Je mets ma main sur votre front, Alain, pour calmer votre fièvre. Nous sommes, vous savez bien sur ce banc glacé de l'avenue. Le pays où vous voulez me conduire n'existe pas. Hélas, notre voiture à nous ne partira pas; nous n'irons pas vers la douce veillée. Et les enfants, là-bas, dans la maison perdue, vont passer tout seuls leur veillée d'hiver. Soir plus terrible que ce soir de notre enfance, où des bohémiens sont venus, vers onze heures, mendier et crier des insultes sous nos fenêtres. Brûlants de terreur, nous savions qu'à des lieues à la ronde notre maison était la seule éveillée; et notre effroi gagnait nos parents... À présent ce n'est plus même cette famille humaine isolée dans la grande nuit d'hiver (car nous voici dispersés; je vous quitte tout à l'heure par ce chemin perdu où vous ne me suivrez pas; tandis que les petites âmes là-bas, je ne sais où, écoutent toujours si nous n'allons pas faire tourner dans ses gonds la grille de la cour et se meurent d'effroi dans le grand logis sans lampes et sans feu.

(Le Pays sans nom)

Voici dispersée encore la misérable famille humaine.

Vs avez tenté une fois encore et en vain de partir pour ce pays qui est le vôtre et qui n'existe pas.

[SANS TITRE][1]

Dans la ville de province ou la grande Bien-Aimée n'était pas on m'avait enfermé des années; je me rappelle surtout les hivers comme celui-ci, et puisque vous n'êtes pas là, puisque vous êtes sur je ne sais quels chemins perdus, oh ma perdue je pense à la femme empoisonnée que j'ai connue dans cette petite ville. Elle était, vous savez, dans une si petite ville, *la* femme empoisonnée. Les prisonniers se rappelaient l'avoir vue, il y a bien longtemps un matin d'hiver: tirés de grand matin de ce chaos de grandes chambres mourantes, où se passent les rêves des prisonniers, où le ronflement de leur sang réchauffé sous la couverture grise est le ronflement d'un grand feu de cuisine où, vagabonds ivres de liberté ils chauffent le dessous de leurs souliers usés de liberté, on les avait conduits à travers une petite cour pavée, vers le lavabo glacé. En passant devant la loge d'un concierge, ils avaient senti une odeur de fumée et un bruit de fagots cassés pour un feu qu'on allume en mettant du

1. Après son *Dialogue aux approches de Noël*, Alain-Fournier a composé, sur un papier à en-tête du Cercle des Élèves-officiers de réserve de Laval, un texte de trois pages, sans titre, mais daté du 30 novembre 1908. (Il se pourrait toutefois que la rédaction soit un peu postérieure à cette date: Fournier a commencé une lettre sur ce papier qu'il utilise ensuite pour sa fiction, après avoir rayé soigneusement l'envoi et les deux premières lignes de la lettre avortée: il laisse pourtant subsister la date.) Il s'agit là du premier jet du début de *La Femme empoisonnée*, texte que nous révélons après celui-ci. Orthographe et ponctuation originales sont respectées.

papier dessous. Cela leur avait rappelé le temps, où, enfants frileux, ils entendaient de leur chambre, le bruit glacial et domestique, de la cheminée raclée par la servante dans la chambre où les papiers de la dernière veillée sont encore épars. Bruit de la servante levée à 6 heures pour enlever le foyer d'hiver et rallumer dans l'acre fumée le nouveau feu. Heure dure et religieuse que les enfants n'ont connu que l'année où, debout sur une chaise et frileux, on les habillait le grand matin d'hiver pour aller au catéchisme. Or 2 heures plus tard, à la promenade d'1/4 d'heure dans la cour, ils ont vu passer un petit «tablier noir» son livre de catéchisme à la main. Et ses cheveux, en arrière, étaient une petite natte. Et elle sortit par la porte où nous sommes entrés.

LA FEMME EMPOISONNÉE[1]

À André Suarès

Il me faut passer l'hiver dans une petite ville où la Jeune-femme n'est jamais venue et ne viendra jamais. — Sur quels chemins perdus me cherche-t-elle, ma perdue ? Ses pieds, dans l'herbe des accotements blanchie de givre, ont fait une trace noire. Elle s'est appuyée à la barrière d'un champ, pour regarder, en tendant le cou : mais la campagne est déserte ; seuls, deux corbeaux lourds se sont enlevés par-dessus les haies d'épine. Et, tandis qu'elle reprend, désolée, son chemin perdu, ses mains glacées sous sa courte pèlerine humectée de brouillard, j'imagine le bruit étouffé de sa robe contre ses genoux, et je vois s'emplir de larmes ces yeux que j'ai aimés,

---

1. C'est sûrement ce texte que Fournier transmet au Petit Bichet, comme d'ailleurs à Jacques Rivière, qui doit en faire lecture à André Lhote, puisque, le 19 janvier 1909, Jacques communique à Henri un mot du peintre : « Je n'ose lui demander de me copier le *Dialogue* et *La Femme Empoisonnée*. J'aimerais cependant bien les relire. » (*Cor.*, II, p. 265.)

Un troisième manuscrit, mise au net du précédent, porte *in fine*, entre crochets, la mention «Janvier» et en tête, d'une autre main semble-t-il, « 1909 ». Ce texte fut révélé pour la première fois par Pierre Seghers, dans la livraison nº 18 de sa revue *Poésie 44*, pp. 3-8.

Dans une lettre à André Lhote du 16 mars 1909, Fournier se plaint qu'on lui ait reproché à propos de ce texte «d'exploiter l'horrible et le tragique physique. Pas une critique ne pouvait porter plus à faux, poursuit-il. Ce n'était là qu'une façon de mettre en relief, au contraire, le tragique intérieur». Voir lettre à Jacques Rivière du 18 juin 1909 (*Cor.*, II, pp. 303-304).

ces grands yeux fixes où toute la misère du monde s'est résignée.

Dans la petite ville où elle ne viendra jamais, où nous sommes prisonniers, collégiens et soldats, je cherche comme un fou la Jeune-femme, sous les fenêtres ternies de gel, par les promenades désertes. Mais je n'ai rencontré qu'une misérable fille malade : celle que les soldats et les collégiens en rangs dévisagent, et qu'on surnomme « la bien-aimée ».

Les plus anciens racontent l'avoir vue, autrefois, toute petite. Un matin d'hiver, à la descente du dortoir, ils avaient reconnu, devant la loge du concierge, l'odeur âcre et humide d'un feu de fagots qu'on allume. Ils se sont rappelés les matins d'autrefois, lorsque, enfants frileux, ils entendaient, de leur chambre, le bruit glacial de la domestique raclant, dans la cheminée, les cendres de la veille, pour allumer le nouveau feu. On les portait devant le foyer; on les habillait, debout sur une chaise et tout frissonnants, pour le catéchisme... Tandis qu'ils se désolaient ainsi de leurs souvenirs, ils ont aperçu, traversant la cour pavée depuis des mois unique personnage féminin, une petite fille de surveillant, qui s'en allait en classe. Elle avait un tablier noir, et ses cheveux en arrière étaient une courte natte; elle ressemblait douloureusement à cette autre, délicieuse misère de toute leur enfance, qui les faisait mourir d'envie de se retourner, quand elle arrivait en retard et restait, selon la règle, agenouillée sous les cloches, « jusqu'à tant que les prières d'avant le catéchisme soient finies ».

D'autres, une autre fois, l'ont rencontrée dans le collège. Ils ne savaient de la misérable petite fille que les histoires qui se racontent, à trois, aux fins d'études. Un jeudi de pluie, la promenade supprimée, on les avait entassés dans le préau de la cour. Ils sont partis en maraude explorer le grand bâtiment suintant, jusqu'aux combles où la ravaudeuse recoud les boutons. Avec eux, j'ai regardé, par les fenêtres d'un dortoir abandonné, la pluie tomber dans les petite rues désertes, et les grands arbres de la Promenade s'égoutter sur les bancs de pierre où jamais n'est venue s'asseoir la Jeune-Femme très aimée. Mais en nous retournant ah! du moins nous avons vu passer en courant dans le couloir de la lingerie, cette fille de surveillant au visage passionné. Les bouts de sa corde à sauter, enroulés autour de sa taille, s'entrechoquaient. Et, durant toute une triste soirée, nous avons revu ce blanc halo des visages de femmes, que celui-là nous avait rappelés.

Soldats, nous l'avons encore rencontrée, quand nous cherchions la Très-aimée. Elle était devenue «la» femme empoisonnée de la garnison, et, pourtant, l'unique douceur à regarder. Elle avait ses cheveux en bandeaux, et deux plaques rouges, aux pommettes, de fard ou de sang vicié. Elle était venue, vers midi, attendre son mari à la porte de la caserne. Quand nous sommes passés, elle était là, toute gauche, appuyée sur son parapluie, comme une petite pauvresse. Elle s'est mise à baisser la tête, pour s'empêcher de rire; et son grand chapeau lui cachait le visage jusqu'au bas de son nez. On voyait sa bouche que le sourire agrandissait. De près, hélas, sa peau livide semblait plombée par l'affreux mal humain que les hommes lui ont donné.

C'était l'extrême horreur et l'extrême douceur; comme pour celui-là qui s'en va, l'hiver, par les

sentiers perdus, chercher la Grande-jeune-femme-
très-aimée, et qui la trouve enfin, mais morte
dans les neiges, étendue sur un accotement.
Autour de ses yeux derrière l'oreille et sous son
cou, sa chair de femme au halo blanc serait
encore la plus exquise chose humaine, n'était
cette couleur verte de froid ou de pourriture,
qu'elle a sur la neige qui l'a fait mourir. Et il s'est
agenouillé près d'elle. Et il dit: c'est ainsi que,
par les chemins perdus et parmi les hommes
perdus, ô ma perdue, sous cette pèlerine de
pauvresse, tu es venue vers moi! Et je n'ai pas su
te trouver à temps: il ne reste que cette pourriture
à embrasser, sur la peau fine dans le creux
autour des yeux, et sous le cou, et sur la bouche
que le mal de mort a raidie et ouverte comme
pour rire.

LA PARTIE DE PLAISIR[1]

À Claude Debussy

Ce sont des femmes, sur le lac, dans une barque doublée de soie. C'est la partie de plaisir. Ce chant que nous entendions, pareil à un palais d'or et de rose entre les saules du bord de l'eau, pareil à une femme qui lève sa coupe vaine avec des larmes de gloire, pareil au visage le plus passionné qui se cache, à l'avant de la barque, dans des manches de brocart, c'est le chant de Marthe et de Madeleine : je reconnais la voix des deux filles frivoles. Nous les disions frivoles ! Nous ne savions pas que ce lac, dans la vallée inculte, surplombé là-bas de collines grises et rocheuses, abritait tant de désirs insoupçonnés[2]. Nous ne pensions pas, au déclin de ce jeudi soir, tandis que nous chassions dans la solitude, découvrir où s'évadent les âmes

1. Première publication : *Schéhérazade*, 15 septembre 1910. Alain-Fournier dira à Marguerite Audoux, le 26 septembre, que ce « très ancien poème en prose » a été publié sans qu'il en ait corrigé les épreuves : « le texte est défiguré, absurde, inintelligible » (Lettre publiée dans les *Cahiers des Amis de Charles-Louis Philippe*, n° 33, décembre 1975).

Nous reproduisons le texte donné dans *Miracles* (pp. 155-156).
2. Depuis « c'est le chant », texte conforme au manuscrit, à l'exception de « Nous les disions frivoles ! » qui s'y trouve omis. En revanche,

des enfants enfermées. Avancez-vous entre les branches des saules et regardez:

La plus studieuse, celle qui lisait sa leçon, tous les volets fermés, dans la chambre fraîche, les cheveux les plus rebelles de son front lissé touchant presque à la page: voyez maintenant toute sa chevelure relevée comme une huppe de perruche, comme un casque de dogaresse, toute sa chevelure mutinée! Telle est la transfiguration du désir. J'en entends, sans les voir, d'autres qui babillent, qui commencent des phrases incompréhensibles, charmantes, et qui s'arrêtent, ne sachant pas les finir: ce sont celles qui n'ont rien dit, jamais. Par instants, toutes les voix se confondent et ce n'est plus qu'un bruit vague et mêlé, qui donne la fièvre et le désespoir, comme des cloches lointaines qui sonnent les vêpres d'été, dans d'autres pays. Mais il y a toujours une voix qui reprend et que j'écoute, la plus grave et pourtant la plus haute, qui dit que tout est vain, que tout va s'évanouir et que c'est une gloire, pourtant! Celle que j'entends ainsi, parmi toutes les autres, est descendue la première, à l'heure où tout se mourait d'ennui, de ce morne château, sur la colline grise, qu'un orage semble sans cesse menacer. Regardez comme elle est blonde et pâle, sous son grand parasol noir.

Sch. donne ici une version plus étendue: «... c'est le chant de la plus belle des âmes en promenade.

Je reconnais, autour d'elle, Madeleine et Françoise et Lucie... Nous les avions laissées là-bas, dans le village où le grand vent désolé faisait battre les portes — visages, sur des broderies, si penchés qu'on ne les voyait plus, gestes étroits et résignés à la morose après-midi... Elles nous avaient dit, en souriant tristement: «Ainsi, vous partez à la chasse. Vous allez voir la lande, l'étang et les genévriers. Vous êtes bien heureux!»

Mais maintenant, voici leurs âmes que nous avons trouvées. Nous ne savions pas que, sur ce lac, dans la vallée inculte, entre les rochers et les grises collines, réfugiaient tant de désirs insoupçonnés...»

Avancez-vous entre les saules, dans le sable pailleté d'argent, sans bruit, comme un pêcheur en retenant votre haleine : n'effrayez pas les âmes !

DANS LE TOUT PETIT JARDIN[1]...

Dans le tout petit jardin en pente, qui va du mur de chez les sœurs au vieux toit rouge dont le bas touche à terre, elle est enfin là, grand délice mystérieux comme dans un rêve d'enfant. C'est le moment du soir où l'on s'enfonce, bras écartés pour en cueillir, dans les touffes de lilas ; l'ombre des branches fait sur les murs de tièdes ronds de soleil ; invisibles et lointains, les oiseaux sous toutes les feuilles, évadés de l'école, se racontent une histoire sans fin... Voici l'heure où sous les lourdes branches du marronnier qui dépassent la haie du parc, nous parlions tout bas de notre amour à grandes phrases défaillantes. Que de fois, accoudé au petit mur, je l'ai attendue à passer dans le chemin, tandis que l'angélus du soir pascal disait : voici l'heure la plus douce du jour. À ce tournant plus blanc vers le soir, que de fois j'ai imaginé l'apparition ineffable, en simple robe de tous les jours. Et la nuit me ramenait, plus désolé dans la maison obscurcie.

Mais cette fois, elle est là. Je lutte contre cette pensée, comme le vertige, comme un regard qui fascine, comme le vol tournoyant d'un ange cruel :

1. Première publication : *Miracles*, pp. 137-140. Jacques Rivière le présente comme « un fragment du *Pays sans nom*, daté de mai 1909 ». Il semble cependant y avoir erreur car c'est le 29 mars 1909 que Jacques Rivière soumet à André Gide ce texte assorti de précieux commentaires (voir *La N.R.F.*, n° 139, 1er avril 1925, Hommage à Jacques Rivière, p. 764).

« Elle est là. » Du même pas, nous descendons l'allée très étroite. J'approche, par instants, de sa ceinture, mon bras comme pour l'enlacer ; et, chaque fois, la grande chose très pure, il semble qu'elle va défaillir et se casser en arrière. Un bras contre mon épaule, elle s'appuie ; et, de l'autre, balancé vaguement dans le paysage, fait le geste toujours différent de celle qui arrange un bouquet. Sous ses doigts, le fouillis de branchages obscurs et de parfums écrasés s'organise et s'accorde mystérieusement. Selon la courbe qu'a faite la main, sont venus se placer, comme un décor attiré, ces bois de lilas blancs aux lisières lointaines. Le petit mur a disparu. Le maigre enclos s'est élargi, comme un cirque immense et incliné avec de longues ombres vertes, pareilles à de grands personnages, à des serviteurs immobiles autour de celle qui va donner des ordres. Et je regarde la femme au geste inexplicable et souverain, dans son royaume inconnu ; comme le nouveau-né suit des yeux, pour la première fois, la mère, occupée à l'étrange besogne quotidienne ; comme le disciple épouvanté se retourna vers le Maître, lorsqu'ils traversèrent le conciliabule des anges, et que ceux-ci s'étendirent à leurs pieds comme de grands chiens soumis.

Mais elle est là, si simplement que je ne puis avoir peur. Dans ce vertige, demeure comme un gage de sécurité très naïve, la robe un peu fanée, faite à sa grâce, qu'elle a prise pour venir. Ses gestes familiers y sont marqués comme un ineffable pli. Je regarde s'appuyer derrière le doux col nu la retombée des cheveux blonds ; et, comme un homme qui découvre, vers la fin d'un beau jour, sa jeune femme cousant à l'ombre, le petit enfant entre ses pieds, je m'arrête un instant avec un doux gonflement de cœur... Elle est là. Sur la pelouse magnifique, dans le pays nouveau, le soleil se couche lentement. Le soir tombe. On entend notre pas sur l'herbe épaisse. Le dernier bruit d'une clochette vers une ferme perdue subsiste comme un conseil, comme la parole de l'ami. Certitude parfaite! Je sais que, dans le bois, cette allée qui s'ouvre devant nous et que nous descendons, va s'élargir immensément, pour laisser notre maison s'épanouir, au milieu des herbes en touffe, comme une large fleur nocturne.

Ma femme, le bras replié par-dessus la barrière, ouvre le loquet intérieur. Vienne maintenant la nuit d'été insupportable! Sur le balcon qui surplombe le jardin ténébreux s'ouvre la porte du salon plein de lourds feuillages; mais on allume, ce soir, comme un fanal à l'avant d'un vaisseau perdu, chargé de fièvres et de senteurs, la lampe domestique[1].

<hr />

1. Voici la rédaction *manuscrite* du dernier paragraphe: Vienne maintenant la nuit d'été insupportable! Ma femme, le bras replié par-dessous la barrière, soulève le loquet intérieur; et, sur le balcon qui surplombe le jardin ténébreux, la porte vitrée du salon plein de lourds feuillages s'éclaire: car on allume, ce soir, comme un fanal à l'avant d'un vaisseau perdu, chargé de fièvres et de senteurs, la lampe domestique.

[Le Pays sans Nom.]

TROIS PROSES[1]

I

GRANDES MANŒUVRES
LA CHAMBRE D'AMIS DU TAILLEUR[2]

Petite chambre très lente, avec tes rideaux blancs, ta porte sur le balcon. Tu voguais le long des journées désertes, dans les immenses paysages noirs et bleus, parmi les averses et les ciels. Tu heurtais parfois, au cours d'une terne matinée, les marches d'un moulin à vent abandonné, sur une colline comme celle d'où tu étais partie. Alors la vieille musique de ses ailes faisait passer dans tes rideaux un frémissement, le regret des jeudis matins morts, où les enfants ne sont pas

---

1. Sous ce titre sont regroupés pour la première fois, dans *Miracles*, pp. 159 à 170, trois textes : les deux premiers étaient inédits ; le troisième avait été publié dans *L'Occident* en janvier 1910. Ils semblent dater de septembre 1909.

Dans une lettre à Lhote du 4 octobre 1909, Fournier, qui a été libéré du service militaire le 25 septembre, annonçait quatre notes sur les grandes manœuvres vécues au cours de ses deux années de régiment.

La troisième, intitulée « Abords de villages », n'a pas été retrouvée.

2. D'après une lettre de Fournier à Lhote cette « chambre » se situait à Puycasquier : il s'agit d'un village où le 88e R.I., en manœuvres du 8 au 18 septembre 1909, a stationné, les 11 et 12 septembre, à quelque 25 km au Nord-Est d'Auch. Sur une colline, à 208 m d'altitude, on y domine, au nord comme au sud, un très large panorama d'amples vallées et de coteaux : invite naturelle à l'essor de l'imaginaire...

venus, comme aux images de tes murs, avec de longs discours anxieux et leurs joues chaudes l'une à l'autre appuyées, guetter l'amour à ton balcon.

Parfois aussi, vers deux heures, tu rencontrais le soleil, comme un marchand qui depuis le matin passa tous les villages et toutes les demeures. L'un vers l'autre vous aviez marché longtemps. Lui te disait : « Ce n'est rien ! Dans la vallée qui s'en va tout au bout des plus lointaines journées, là-bas, ce ne sont pas encore les villes étranges. Ce n'est pas encore le pays des vaines arrivées parmi les beaux visages perdus. Il n'y a que des pins et des bruyères. Et cet éclair, sur la dernière ligne de la terre qui monte vers moi comme d'une vitre, ah ! ce n'est que... » Et le soleil, après s'être un instant reposé sur le barreau de bois, laissait, une fois de plus, entre les ombres de tes murs, l'ombre morne d'un jour.

Mais, un soir, voyageur que tu n'attendais plus, je suis monté vers toi.

Du fond des nuits d'été, je t'apportais tous les désirs des autres maisons, là-bas, maisons où meurent les grandes vacances, où les enfants pleurent d'ennui à regarder la lueur éclatante de la nuit sur la vitre, maisons où nous t'imaginions si belle, et mouvante dans l'ombre, et toute peuplée de personnages, chambre inconnue ! chambre d'amis où nous ne fûmes pas invités !

Hélas, il était déjà trop tard, ce soir-là. J'ai cargué tes rideaux de toile, et tu ne m'as donné qu'à dormir. Au matin, je t'ai trouvée vide, et tu t'étais échouée contre l'hiver. Le froid posait sur mon visage découvert et sur ma fièvre sa bonne main douloureuse. Un pavillon de neige était étendu le long du balcon. Et tant de silence s'était fait en toi, après le long voyage manqué, qu'on croyait entendre déjà le bruit mat des premières allées et venues, dans la rue, le matin de Noël.

II

GRANDES MANOEUVRES
MARCHE AVANT LE JOUR[1]

Chacun de mes pas râcle la terre. Il est minuit, et je traîne une troupe d'hommes derrière moi. La route s'enfonce entre des arbres, là où la nuit même ne nous éclaire plus.

C'était hier le dernier jour d'été; et Bertie, le paysan qui marche à mon côté, me dit: « Ca va être l'époque des fêtes à présent, chez moi. On revient la nuit! » — Bertie, puisque c'est déjà fini, l'été, puisqu'il n'y faut plus penser, déjà, je voudrais connaître vos fêtes d'hiver, et la fièvre des retours par vos grands chemins noirs. Du côté où souffle le vent, les poteaux de télégraphe ont une raie de neige. Deux amants perdus se parlent à voix basse, le long de la haie. Fête des cœurs!... Halte sans fin dans la nuit! Et voici qu'est éclose leur maison toute pleine de grandes lueurs, qui font croire à des feux ou à l'aurore. Ce n'est pourtant qu'une cabane de cantonniers: le vent, depuis longtemps, y a fait son passage, et l'on entend claquer la neige et la pluie qui tombent en flaques. Mais les deux amants glacés

1. D'après la chronologie des ultimes manœuvres, c'est le lundi 13 septembre que Fournier et ses hommes durent quitter Auch à une heure du matin. (Voir Jean Loize, *op. cit.*, p. 215.)

pensent sans rien dire: «Le bonheur entrera dans la maison violette avec le petit jour. La porte lui sera familière comme au facteur que les époux guettent chaque matin sur la route. Car c'est ici, par cette nuit de décembre où nous sommes fous, que nous avons établi notre maison, notre royaume précaire et merveilleux. Les branches que nous avons rapportées de la fête et suspendues auprès de la croisée, frémissent au matin. Bientôt nous allumerons le feu de la journée. La fête pour nous ne finira pas!»

Mais moi je continue à cheminer au fond du trou, menant mon troupeau d'hommes aveugles. Aux bords de l'horizon, la lueur de toutes les étoiles qui sont de l'autre côté nous fait, depuis deux heures, croire à la fin de la nuit. Je pense marcher dans l'eau, tant il me faut lutter pour avancer. À chaque pas, je bute du genou contre l'obscurité. Si je veux savoir ce que j'ai devant moi, j'étends la main. Je ne vois pas mes pieds, j'entends leur bruit pénible et lent, que double le battement de mon cœur. Tout est malaisé! La pensée même est empêtrée dans ce paysage invisible. Seule, une vanité me reste, comme une petite flamme misérable: «De tous les hommes qui geignent ici, me dis-je, je suis le seul à connaître notre mal, qui est l'attente du jour.» Alors s'élève, comme un reproche, la voix de mon frère qui marchait près de moi dans la nuit. J'entends, comme un bâillement, comme s'il demandait grâce, Bertie le paysan m'appeler et dire: «Ho! qu'il me tarde qu'il fasse jour!»

III

L'AMOUR CHERCHE
LES LIEUX ABANDONNÉS

L'amour par les longues soirées pluvieuses, cherche les lieux abandonnés.

Nous avons suivi ce chemin d'herbe qui s'en allait je ne sais où dans le dimanche de septembre. Il nous a conduits sur la hauteur où s'amassait la pluie comme une blanche forêt perdue. C'est là, dans une vigne terreuse et noircie, que me précédait mon amour. Je regardais avec compassion sous la soie mouillée ses épaules transparues, et sa main en arrière, selon le geste de son écharpe fauve et trempée, disant : « Encore plus loin ! Plus perdus encore ! »

Nous avons trouvé ce bosquet désert avec de grands arceaux de fer tombés, vestiges d'une tonnelle. On découvrait une ville au loin qui fumait de pluie dans la vallée. Visages humains, qui regardiez derrière les fenêtres, que les heures étaient lentes à passer devant vous dans les rues, et monotone à vos oreilles la sonnerie régulière de l'eau dans le chenal — auprès de la soirée errante dans les avenues de notre réduit de feuillage ! Nous nous sommes jeté de la pluie à la figure et nous nous sommes grisés à son goût profond. Nous sommes montés dans les branches, jusqu'à mouiller nos têtes dans le grand lac du ciel agité par le vent. La plus haute branche, où nous étions assis, a craqué, et nous sommes tombés tous deux avec une cascade de feuilles et de rires, comme au printemps deux oiseaux empêtrés d'amour. Et parfois vous aviez ce geste sauvage, amour, d'écarter, avec les cheveux, de vos yeux, les branches de la tonnelle, pour que le jour prolongeât dans notre domaine les chevauchées sur les chemins indéfinis, les rencontres coupables, les attentes à la grille, et les fêtes mystérieuses que vous donnent la pluie, le vent et les espaces perdus.

Mais pour le soir qui va venir, amour, nous cherchons une maison.

Dans la vigne, nous avons longtemps secoué la porte du refuge, en nous serrant sur le seuil pour nous tenir à l'abri, ainsi que deux perdrix mouillées. Nous entendions à nos coups répondre sourdement la voix de l'obscurité enfermée. Derrière la porte il y avait, pour nous, de la paille où nous enfouir dans la poussière lourde et l'ombre de juillet moissonné; des fruits traînant sur des claies avec l'odeur de grands jardins pourris où sombrent pour la dernière fois les amants attardés; dans un coin des sarments noircis, avec de vieilles choses, amour, qu'en vain vous auriez voulu reconnaître; et, vers le soir, dans la cheminée délabrée, nous aurions fait prendre un grand feu de bois mort, dont la chaleur obscure aurait, le reste de la nuit, réchauffé vos pieds nus dans ses mains.

« Quelqu'un » avait la clef de ce refuge, et nous avons continué d'errer. Aucun domaine terrestre, amour, ne vous a paru suffisamment déserté! Ni, dans la forêt, le rendez-vous de chasse comme une borne muette au carrefour de huit chemins égarés; ni même, au tournant le plus lointain de la route, cette chapelle rouillée sous les branchages funèbres...

Mais le lieu même de notre amour, ce fut, par la nuit d'automne où nous dûmes nous déprendre, cette cour abandonnée sous la pluie, dont elle m'ouvrit secrètement la porte. Sur le seuil où elle m'appela tout bas, je ne pus distinguer la forme de son corps; et des jardins épais où nous entrâmes à tâtons, je ne connaîtrai jamais le visage réel. «Touchez, disait-elle, en appuyant sur mes yeux sa chevelure, comme mes cheveux sont mouillés! » Autour de nous ruisselaient immensément les profondes forêts nocturnes. Et je baisais sur cette face invisible que jamais plus je ne devais revoir la saveur même de la nuit. Un instant, elle enfonça dans mes manches, contre la chaleur de mes bras, ses mains fines et froides, caresse triste qu'elle aimait. Perdus pour les hommes et pour nous-mêmes, pareils à deux noyés confondus qui flottent dans la nuit, ah! nous avions trouvé le désert où déployer enfin comme une tente notre royaume sans nom. Au seuil de l'abandon sans retour, vous me disiez, amour, dont la tête encore roule sur mon épaule, avec cette voix plus sourde que le désespoir: «Jamais!... il n'y aura jamais de fin! Éternellement, nous nous parlerons ainsi tout bas, bouche à bouche, ainsi que deux enfants qu'on a mis à dormir ensemble, la veille d'un grand bonheur, dans une maison inconnue; — et la voix de la forêt qui déferle jusqu'à la vitre illuminée se mêle à leurs paroles... »

MADELEINE[1]

> « ...les publicains et les femmes
> de mauvaise vie entreront avant
> vous dans le royaume de Dieu [2]. »

Lorsqu'ils m'ont demandé :
« Et celle-là ? Nous ne la connaissons point. La chasserons-nous du royaume, où la voici dressée comme un pois de senteur qui a levé la nuit[3] ? Regardez ces manches qui lui pendent comme des loques de soie, ce visage où l'on est tenté de passer son doigt pour enlever le blanc, et ces yeux trop grands qui regardent tout d'un seul coup ! Elle attend, des gens de campagne autour d'elle. On dirait une jument dans un troupeau de mouton[4], qu'on découvre silencieux et effarés, sur une butte de terre, le lendemain de l'inondation... »
J'ai répondu :

1. Première publication dans *La Grande Revue*, juin 1915, pp. 532-539. Repris dans *Miracles*, pp. 141-153. Pour Jacques Rivière, ce texte « fut écrit à Mirande en juillet-août 1909 ».
2. Évangile selon saint Matthieu, 21.
3. Yvette Mousson, (in *Dossier Alain-Fournier* n° IV, Bulletin de l'Association des Amis de Jacques Rivière et d'Alain-Fournier, n° 18, 1er trimestre 1980, pp. 5-25) suggère de rapprocher cette comparaison du poème biblique : « Je suis le narcisse de Saron, le lis des vallées. »
4. Cf. Cantique des Cantiques, I, 8-9 :
« ... Sors sur les traces des brebis,
Et fais paître tes chevreaux
Près des demeures des bergers.
— À ma jument [...] je te compare, ô mon amie... » (Trad. de Louis Segond.)

« Recevez-les parmi vous : c'est Madeleine, la fille perdue ; et les autres se sont trouvés pris avec elle, dans la lumière, durant la dernière nuit humaine[1]. »

I

Cette nuit-là, derrière un village, au clair de lune d'été, Madeleine attend Tristan pour la première fois. Il est parti d'une ferme éloignée dans les champs à la chute du jour. Sur le pas de la porte, la tête inclinée dans la buée qui monte du soir, un enfant chantait en clouant un petit chariot. La lisière de la nuit frôlait silencieusement le météore sous le feuillage traînant des marronniers.

Les pieds dans l'herbe, à la barrière d'un verger profond, la fille perdue est une mince ombre bleue qui guette et se penche sur la nuit. Aussi loin qu'elle regarde, des pelouses de rosée désertes scintillent obscurément. Elle se parle à elle-même :

« Je voudrais partir avec lui, s'il venait, dit-elle. Je voudrais recommencer le premier voyage que je fis, une nuit d'été, pour aller à la ville, lorsque j'étais une petite fille très pieuse[2]. La grande voiture à bâche blanche des paysans se balançait entre les saules et les puits des jardins. Nous sommes passés sur les ponts et j'entendais l'eau invisible parler sous la traînée de brume. Tandis que j'imaginais lointaine, étrange, hors de la

1. Préfiguration de l'Apocalypse, évoquée à la fin de ce « Miracle ».
2. Thème de la pureté perdue, l'une des constantes du *Grand Meaulnes*.

terre, la ville où nous allions, je me suis assoupie dans un demi-sommeil. Enveloppée dans des couvertures j'ai senti glisser sur mes yeux, aux tournants, les branchages nocturnes, et, près de moi, jusqu'au matin, deux voix qui ne dormaient pas ont parlé tout haut du cheval, du pays et des astres. Puis la fraîcheur du jour m'a glacé les paupières comme de l'eau : la voiture est arrêtée aux portes de la ville mystérieuse où nous allons entrer ; et, sur la route, un homme nous parle[1]... Ses premiers mots, je me rappelle, avant de m'éveiller sont entrés dans mon songe. C'étaient d'abord des fleurs inconnues longtemps silencieuses et qui éclatent soudain l'une après l'autre comme une phrase. Puis cette phrase était sur la bouche séchée de quelqu'un d'immense qui s'était arrêté près de moi, épuisé de fatigue. Et, avec cette parole de songe, il m'offrait un royaume où des sources d'eau vive étanchent tous les désirs et toutes les soifs... »

★

Le paysan qui la salue dans l'ombre est beau. Ce long visage de passion, où tant d'âmes de femmes se sont regardées, possède le charme divers des rêves où il passa. C'est un paysan, rasé haut[2], qui salue Madeleine avec le geste solennel des contrées nocturnes qu'il quitta. Mais c'est aussi, lorsqu'il se tourne vers le clair de lune, un enfant de septembre qui fait chauffer à un feu dans les bois son amour égaré ; et il regarde à travers l'air tremblant comme un voile

1. Cf. Meaulnes, dans la voiture qui le ramène vers Sainte-Agathe.
2. Comme Augustin Meaulnes.

de soie bleue. S'il baisse la tête, on croit voir, sur la terrasse, avec les larmes d'ombre qui creusent ses joues, le prince malade qui cherche une âme[1].

Il s'est assis près de Madeleine, sur un talus, au bord du vaste clair de lune, comme un paysage sous mer[2]. Elle rit, sous un grand chapeau obscur, les mains appuyées dans les menthes, et demande:

« Avez-vous connu d'autres femmes ? »

Un instant, il baisse la tête sans répondre. Derrière eux, vers une maison abandonnée, à demi-cachée dans les feuilles, comme un moulin, on entend monter le calme bruit d'eaux que fait la nuit. Alors, plus gravement, elle demande:

« Quelle était la plus belle ?

— Certes, répondit-il, j'ai connu d'autres femmes. Mais aucune n'a compris ce que je demandais ; et les plus belles ont cherché désespérément ce qu'elles pourraient donner ; — et j'en ai eu grand'pitié. Je me rappelle:

« Celle qui, près d'un château en fête, allumé dans les arbres, tandis que s'éteignaient au piano les dernières bougies avec les derniers airs de danse, dansait pour moi dans une allée demi-obscure du parc. Elle dansait pour me faire joie, mais, s'apercevant que sa danse ne consolait pas ma peine, le grand geste gracieux se brisait et elle fondait en larmes.

« Celle qui est entrée chez moi, toute nue, vers les dernières heures de la nuit ; et elle m'offrait son pauvre corps avec la voix de quelqu'un qui a

---

1. Souvenir de *L'Idiot* de Dostoïevski, lu à Laval en 1909, ainsi que le rappelle fort judicieusement Yvette Mousson (*op. cit.*, p. 13, note 4).
2. L'attrait de la mer sur Alain-Fournier, qui pensa préparer son entrée à l'École Navale, est très sensible dans *Le Grand Meaulnes*.

perdu son chemin et qui offre tout ce qu'il a pour le retrouver.

« Il y en eut d'autres qui crurent comprendre l'espace d'un instant, et qui ont pris peur :

« Celle qui eut l'idée de venir au premier rendez-vous avec un manteau de pauvresse ; — et qui ne revint pas.

« Celle que j'ai rencontrée avec sa sœur aînée dans les jardins d'une ville, une nuit d'été. Comme je parlais plus doucement à l'aînée, parce que la plus petite m'attirait davantage, celle-ci qui ne disait rien est partie, et jamais on n'a su où elle s'était enfuie et jamais on ne l'a revue. — Ah ! de celle-là est-ce que je n'ai pas tout eu[1] ?

— Malheureuse, dit Madeleine, sans lever la tête, malheureuse, par un soir comme celui-ci, l'âme qui ne s'est pas détachée, malheureuse celle qui n'a pas risqué le départ admirable !

— Et pourtant, poursuit le paysan, je me suis approché, certains soirs tragiques, de ce que j'ai tant cherché, je me suis approché de l'âme jusqu'à l'entendre battre contre mon cœur : « Un dimanche matin, — me racontait une jeune femme, — dans la maison de campagne où nous étions seules avec des enfants, le plus petit s'est fait couper les doigts dans une machine. Parce qu'il avait désobéi et craignant d'être grondé par sa mère, il se cachait en disant : Je me suis marché sur la main. Mais au soir, nous avons compris, lorsque, raidi de fièvre, il était déjà

1. Tout ce passage, depuis « Avez-vous connu d'autres femmes ? » est directement inspiré de la lettre d'Alain-Fournier à Jacques et à Isabelle Rivière, du 5 septembre 1909 (*op. cit.*, p. 320).

perdu...» Et j'imaginais, dans la maison des femmes, cette mort enfantine, la nuit : je sentais, au contact de cette chose monstrueuse, leur âme palpiter.»

Alors Madeleine se tourne vers lui. À mesure qu'elle lève la tête, la clarté de songe modèle sous son grand chapeau, comme avec une main, le fin visage de marbre. De ses doigts qui brûlent, embarrassés dans son écharpe, elle touche la main du paysan appuyée dans l'herbe. Elle dit, avec ce lent sourire qui désolait les hommes à force de douceur :

«Je connais des soirs de fête, mon ami, plus tragiques encore. La servante allume çà et là des feux sur le mur ; des ombres passent et le désir de ne je sais quelle autre fête sans fin vous arrête sur le pas de la porte comme un vertige soudain.

«Je connais, au retour des parties de plaisir, ces gonflements de cœur pareils à de chaudes vagues sanglantes qui vous détachent[1]. Le bruit des pas fatigués semble creuser le chemin d'ombre. Certains marchent dans les champs qui bordent la route ; et l'on voit, par instants, leurs visages entre les branches, à la clarté de la lune. Conversations à voix basse... L'enfant qui s'est aperçu, durant la journée de plaisir, qu'il aimait la femme de son frère, marche silencieusement, plein de détresse, et soudain bute dans l'ombre et se fait mal ; alors incapable de lutter davantage il s'appuie contre l'épaule de l'aîné qui le relève, et sanglote longuement.

1. Toutes les fêtes, les «parties de plaisir», les joies, tournent pareillement, dans *Le Grand Meaulnes*, à la tristesse, voire la souffrance.

« Et encore : l'instant du départ, aux beaux jours d'été, lorsque, les volets accrochés à la porte vitrée, les malles déjà parties, avant de fermer à clef la dernière porte, on se penche dans le vestibule obscur pour écouter la voix sourde et merveilleuse qui appelle.

« Oh ! mon ami, tous mes amants m'ont ennuyée. Ce sont tous gens d'ici qui se sont ruinés à chercher des fêtes où je ne fusse jamais allée. Mais avec vous, qui gardez à votre vêtement l'odeur humide des chemins nocturnes, je partirai pour un voyage nouveau. Je connaîtrai les salles obscures de vos domaines, avec les grands lustres jaunes qui pendent des poutres : après la moisson, les paysans, n'est-ce pas ? se préparent la nuit pour des noces et des fêtes. Et le jour venu, dans la fumée verte[1] qui monte des enclos villageois, les enfants ravis d'une joie parfaite, tournoient en des jeux pleins de cérémonies. »

Cependant, derrière eux, dans les vitres de la maison abandonnée, flambent toutes les lueurs de la nuit. Soir des noces ! Comme une jeune femme qu'on attend sort d'entre les arbres où elle s'était cachée, la douce maison lourde s'est éclairée dans ses massifs. Appuyée au bas de la voie lactée, la grande vitre s'enflamme ; et l'on pense à une baie mystérieuse ouverte sur une autre aurore. Alors, pareils à deux nouveaux époux, qui n'ont pu supporter le bonheur sans démence, Madeleine et Tristan s'enfuient. Elle marche près de lui ; l'haleine de ses paroles pressées semble plus douce qu'un bras de femme autour du cou ;

1. La couleur associée au rêve de Meaulnes (I, 10) comme à l'atmosphère de « la chambre de Wellington » (I, 12).

on la devine encore au loin, tournant vers lui ses beaux yeux invisibles. Puis, une vague de la nuit, plus obscure que les autres, déferle et les emporte.

II

« ... le jour du Seigneur viendra comme un voleur qui vient la nuit [1] »

Aux fenêtres des chambres qui donnent derrière la ferme, s'agitent dans la lune d'avant minuit, les branchages d'un arbre déraciné par la foudre. Cela joue sur les rideaux blancs des lits endormis tout au fond. Cependant la nuit est calme. Les enfants dorment. De grands jardins blancs et noirs glissent sous les fenêtres, avec, par instant, des visages admirables qui regardent à la vitre.

Sur le devant, la cour, balayée comme à la veille d'une fête, luit faiblement dans la nuit. La treille et les branches d'un chêne et les nids de colombes reposent, appuyés à la façade nette et sans ombre, pareille à un décor, avant que le jour vienne et qu'il se passe quelque chose[2].

1. Évangile selon saint Matthieu, 24.
2. Préfiguration des préparatifs de la Fête étrange, au domaine des Sablonnières.

C'est en ce lieu, entre le mur et le chêne, dont ils écartent les branches comme des nénuphars, que Madeleine et Tristan émergent de la nuit où ils ont plongé. Ils se concertent un instant tout bas et poussent la porte. Dans la grande salle où donnent les écuries mal fermées, pleines de paille qui fume, deux lustres obscurs descendent sur une table immense autour de laquelle des gens rassemblés veillent. Des alcôves profondes s'enfoncent dans les murs. De vieilles horloges travaillées luisent comme des trésors dans les couloirs ouverts. Et, debout sur le carreau ciré, toute trempée de rosée, comme une nouvelle servante qui arrive le soir, Madeleine regarde.

Il y a là tous ceux que la fièvre de cette nuit réveilla. Ils s'apprêtent pour un départ; ils veillent dans l'attente d'on ne sait quel bonheur. Au bout le plus obscur de la table, un vacher roux, la tête penchée sur sa blouse, mange, avant de partir, sa pitance amère. Il n'ira plus sur la colline garder les bêtes dans les prés de scabieuses lorsque la cloche de huit heures parle, avec regret, des belles matinées enfantines. Il ne s'accoudera plus au petit mur, à l'heure où le soleil penche les ombres, pour regarder au loin, plein de nostalgie. On ne rira plus de son visage couturé.

Derrière lui, dans l'escalier ciré, immobiles, leurs souliers à la main, les enfants qui se sont levés et habillés, regardent, muets de terreur et d'émerveillement, la femme inconnue. Ils savent que cette fois on leur pardonnera de ne pas dormir toute la nuit. On leur mettra, pour partir avec tout le monde, leurs plus beaux habits. On les emmènera jouer dans un pays de tuileries et de couvents abandonnés, où l'on découvre, en se poursuivant à la tombée de la nuit dans les couloirs et les souterrains, l'entrée d'une ville immense qui flamboie dans un autre été.

Deux vieillards sont assis sur un banc, prêts à partir, tout raidis dans leur linge empesé. Ce sont les deux vieux qu'on a pris en pension dans la chambre du haut, et qui s'en vont secrètement toutes les nuits essayer des machines. Si elles pouvaient marcher, pensent-ils, le monde, le lendemain matin, serait comme une route éternelle où de grands bergers aux carrefours silencieusement vous montreraient votre chemin.

Une femme fait dans l'ombre, au-dessus de l'évier, pour le laitage, de calmes gestes démesurés comme on en fait dans l'eau. Lorsqu'elle vient, en posant un bol sur la table, plonger son visage dans la clarté, on découvre que ses traits amers, sous la grande aile grise de la chevelure, durent être beaux. Pensée plus déchirante que le pire remords : cette femme inconnue doit avoir été belle ! Le lendemain de ses noces, un matin de juin, se trouvant seule dans une allée du vieux jardin, la mariée s'est arrêtée soudainement, baissant la tête et pensant : « Jamais plus je ne serai jeune. Jamais plus je ne serai belle. » Et depuis il lui faut lutter secrètement contre cette révolte plus douloureuse à vaincre qu'une montée de larmes.

Mais cette nuit, l'affreux désir coupable l'a réveillée comme les autres :

« Je veux partir aussi, dit-elle, je veux partir à l'aube, je ne sais où, pour trouver enfin la joie, qui ne finit pas.

— Oh ! ma sœur qui êtes belle... » lui répond la fille perdue ; et les voici qui causent toutes les deux à voix basse. Alors tous les autres se rapprochent, les entourent, et le grand colloque s'engage enfin. Serrés près de la porte, visages pressés sous la lueur de l'imposte, voyageurs égarés qui se montrent un feu dans la nuit, ils parlent du pays merveilleux où ils veulent partir, pays de leur désir et de leur regret:

«Des routes indéfinies s'enlacent aux coteaux et passent sur les vallées, pareilles à des traînées de brume blanche, qui tournoient au-dessus des lacs de la nuit.

— Dans toutes les cours, c'est le matin des noces: une voiture où l'on charge des bagages attend; et l'odeur des syringas fait défaillir, au moment où ils grimpent sur le marchepied, les deux enfants trop heureux.

— Entre les feuilles des arbres, lorsque sonne midi, on aperçoit dans la vallée le reflet d'un village merveilleux, si creux que le regard d'abord ne l'avait pu découvrir, comme le visage entre les fougères dans l'eau du puits profond.»

Mais la fille coupable, qui dans toutes les fêtes et toutes les joies de ce monde a roulé, leur dit:

«Le pays que vous avez découvert dans le secret de votre cœur, je l'ai cherché longtemps et vainement sur la terre.

— Et nous, répondent-ils, chaque soir nous restons longuement, les yeux ouverts dans les ténèbres, imaginant: demain, peut-être, nous nous éveillerons dans la contrée étrange; demain l'aurore merveilleuse...»

Et soudain tous se sont tus, s'apercevant qu'au dehors, à cette heure de minuit, le jour avait éclaté partout[1], et que, silencieusement, avant

1. «Et il n'y aura plus de nuit; et ils n'auront plus besoin ni de lampe, ni de lumière, parce que le Seigneur Dieu les éclairera...» (Apocalypse de Jean, 22).

d'entrer — le bras étendu contre le mur comme une treille[1] — l'ange Gabriel[2] les regardait par l'imposte avec «des yeux plus beaux que le vin[3]».

1. Cf. Cantique des Cantiques, 2 :
«Mon bien-aimé [...] Le voici, il est derrière notre mur,
Il regarde par la fenêtre,
Il regarde par le treillis...»
2. L'ange Gabriel vient tout droit de l'Évangile selon saint Luc, que Fournier a lu avec enthousiasme, comme en témoigne sa lettre à André Lhote du 29 décembre 1909.
3. Yvette Mousson (op. cit., p. 11) a fait le rapprochement qui s'impose avec le Cantique des Cantiques, 1 :
«Car ton amour vaut mieux que le vin...» et :
«Nous célébrerons ton amour plus que le vin...»

LE MIRACLE DES TROIS DAMES
DE VILLAGE[1]

Deux dames sont en visite, chez Madame Meillant, dans une maison isolée, à la sortie du village. C'est le début d'une longue soirée de février. Depuis ce matin, comme une troupe d'hommes refoulés qui mettra tout le jour à s'écouler, le vent passe, chargé de neige. À la fenêtre basse, qui donne sur le jardin, les branches secouées d'un rosier sans feuilles battent la vitre, par instants.

Dans leur salon fermé, comme dans une barque amarrée au milieu du courant, ces femmes parlent du temps. Ce sont trois jeunes dames, les plus pauvres du bourg. Madame Henry, la plus jeune, est celle qui a sa joue contre la fenêtre. La lumière du dehors, qui rejaillit sur l'appui mouillé de la croisée, vient doucement, dans l'ombre du salon, dessiner son profil.

«Quand ma sœur était petite, dit-elle, son grand désir était d'aller dehors par ces temps de grand vent et de neige. Maintenant encore, quand la neige se pose sur toutes les choses de la plaine, ou lorsqu'il pleut indéfiniment jusqu'au bout des paysages, elle voudrait être à la place du

1. Ce conte qui avait initialement été demandé à Alain-Fournier pour *Paris-Journal* a finalement paru dans *La Grande Revue* de Jacques Rouché, le 10 août 1910, pp. 564-568. Alain-Fournier se dira très déçu par la disposition typographique de son texte où les caractères romains se sont substitués aux italiques qui «lui gardaient un air de poème» (à Jacques Rivière, le 11 août 1910).
Repris dans *Miracles*, pp. 171-180.

mécanicien qui voyage au milieu de l'averse, enfermé dans sa maison de vitres...

— Que fait-elle donc aujourd'hui? Pourquoi n'est-elle pas venue?

— Elle est restée chez nous. Elle achève sa toilette. Depuis longtemps, nous y travaillons chaque soir. Si vous saviez comme elle sera belle!»

Avec quel amour craintif elle parle de cette petite sœur romanesque! Comme elle se rappelle précieusement ses moindres mots d'enfant! Pourtant il s'agit d'une jeune fille qui a couru déjà plus d'une aventure coupable. Madame Henry a tout caché. Sur cette figure très pâle, que l'ombre des joues creusées amincit, on n'imagine pas sans souffrance la rougeur que ces histoires ont dû faire monter. Cependant, à cette heure, elle parle cérémonieusement de sa sœur Marie, comme d'une enfant dont on n'a jamais rien dit.

Les autres lui répondent avec cette science très chaste que possèdent les jeunes femmes pour parler des jeunes filles. Et leur conversation se poursuit avec cette même réserve. Elles parlent de toutes choses ainsi. Le monde, tel que le décrivent leurs paroles, est fait de convenances et de pureté... Il y a par instants de grands silences, pleins de toutes les peines, de toute la pauvreté qu'il ne faut pas dire : alors, on entend s'évanouir au loin la rumeur amère du grand vent chassé.

Ce soir-là, Madame Henry s'est mise au piano. Immobiles sur leurs fauteuils grenat, les dames ont écouté d'abord avec grand respect. Puis l'une a incliné doucement son visage, comme une femme qui veut qu'on lui parle tout bas, contre l'oreille : et l'autre, sans y songer, a fait comme sa compagne. Chante la douce voix complice, et toute misère est oubliée : les comptes à la chandelle, le dimanche soir, pour la longue semaine, et l'attente indéfinie dans la salle à manger, lorsque le mari ne rentre pas et que les enfants, après avoir joué silencieusement, s'endorment...

La musique parle de promenades, de paradis et de fiançailles : puis elle se tait, et les dames reprennent plus lentement, tandis que la soirée s'achève, le récit de leurs souvenirs heureux. Madame Henry se rappelle la demeure de ses parents, où elles étaient autrefois, avec sa sœur Marie, par les belles vêpres d'hiver, d'heureuses jeunes filles qui attendent. Pour les deux autres, Madame Defrance et Madame Meillant, la vie semble s'être arrêtée à l'époque des fiançailles, des premières promenades avec leurs maris, qui les emmenaient alors en voiture dans leurs tournées de marchands à travers les villages — ou bien, le soir, à pied par les chemins, les aidaient à sauter les flaques d'eau... Les pauvres dames sont en visite, et toute misère est oubliée. Il ne reste plus que, par moments, ce poids sur le cœur.

★

Cependant, près du bourg, devant une maison abandonnée, des gens sont ameutés. Vers cinq heures, la sœur de Madame Henry est arrivée là, dans sa toilette neuve : avec une robe presque droite qui la faisait svelte et flexible comme une baguette de coudrier, avec un grand chapeau noir sous lequel on la devinait sourire. Elle avait l'intention de tout raconter à celui qui l'attendait ; elle pensait qu'il l'aimerait quand même et qu'il lui pardonnerait. Mais lui, savait depuis la

177

veille qu'«il n'était pas le premier» : fou de colère, il a pris avec lui des garçons et des filles pour aller attendre Marie au rendez-vous, dans la maison inhabitée. Quand l'enfant est arrivée, on l'a déshabillée et battue, puis enfermée à clef. Les filles ont ameuté les passants.

On se presse à la fenêtre. L'enfant est blottie dans le coin le plus noir de la grande pièce vide qu'obscurcit la tombée du jour. Ils ne lui ont laissé par dérision que son chapeau. De son visage baissé, on n'aperçoit que le bout du nez. Elle tremble convulsivement comme un petit chat galeux qu'on assomme à coups de pierres.

Les hommes du café voisin sont sortis, pour venir voir ça. Monsieur Meillant, légèrement gris, est au premier rang. Il plaisante :

«Si ça continue, dit-il, tout le bourg va être là ! Mais il faudrait voir la tête que va faire sa sœur. Il faut aller la chercher.

— On y est allé, dit la grande fille qui travaille chez la couturière. Elle n'y est pas. C'est fermé.

— Allez donc chez moi. Elle doit être avec ma femme.»

Alors la grande fille s'en va vers la maison isolée où les dames sont en visite, escortée d'une bande de gamins. Elle porte sur son bras une robe salie, droite comme une blouse de nuit.

Chez Madame Meillant, les trois femmes crurent entendre une rumeur loitaine, comme celle d'un grand vent qui s'en va. Elles prêtèrent l'oreille : mais elles s'étaient si bien accoutumées, durant cette longue après-midi, à l'atmosphère de leur salon fermé, qu'elles ne purent distinguer aucun bruit, pas même le tic-tac de la pendule.

« On n'entend plus le balancier, dirent-elles. Est-ce que le mouvement est arrêté ?

— Comme il doit être tard ! nous allons partir.

— Je vais vous conduire, dit Madame Meillant. »

Mais, en sortant sur le perron, elles furent comme cet homme qui, rentrant chez lui le soir, ne retrouva plus sa maison. Elles firent toutes les trois : « Ah ! » Et leur voix sonna aussi claire et aussi étrange que celle de ma mère, lorsqu'autrefois, ouvrant la porte à une heure tardive de la nuit, elle découvrait, entré dans notre cour, ainsi qu'une nappe d'eau glauque étendue, le mystérieux clair de lune[1]. Elles se demandèrent aussitôt ce qui leur avait fait pousser ce cri : or, il leur était si facile de parcourir le paysage étalé devant elles, qu'elles se trouvaient gênées, comme quelqu'un qui n'a plus besoin de sa lanterne pour sortir dans la nuit claire de lune. Tout poids sur le cœur était enlevé. Le monde était devenu semblable au paradis que les pauvres dames en visite s'étaient inventé.

Devant elles, coulait l'avenue qui mène au bourg. Le grand vent avait cessé d'y gémir et d'y secouer les arbres. On sentait qu'il était passé dans un autre paysage. Cependant les flocons de neige continuaient à voleter longtemps avant de se poser : ils voltigeaient autour de la tête des trois femmes comme une bande d'oiseaux curieux, qui eussent voulu becqueter leurs

1. Cf. dans *Le Grand Meaulnes*, 2ᵉ partie, chap. I, « Le Grand Jeu » : « À huit heures, Millie qui avait ouvert la porte pour jeter dehors les miettes du repas fit :

« Ah ! »

d'une voix si claire que nous nous approchâmes pour regarder. Il y avait sur le seuil une couche de neige... »

visages, ou comme des insectes du soir qu'attire la lumière des yeux.

« Allons voir au bourg ce qui s'est passé », dit l'une d'elles[1].

Au bout de l'avenue, il y avait, près de la route, un coude du ruisseau, où, d'ordinaire, à l'heure de la soupe, des gamins déguenillés glissaient : on entendait leurs cris pointus, à la tombée de la nuit, comme une sortie de l'école attardée. Cette fois, les femmes n'entendirent aucun bruit ; mais, au tournant, la rivière gelée s'élargissait comme un fleuve. Partout au loin, c'était l'hiver, mais l'hiver comme dans les tableaux des Quatre-Saisons qui décorent les chambres des jeunes filles — l'Hiver, où des patineurs blancs et noirs, avec de grands foulards qui ondulent au vent, glissent au crépuscule sur un fond de forêts roses.

« Hatons-nous de monter au bourg, dirent elles. Que doivent dire nos maris ? » Mais il n'y avait plus de maris, ce n'étaient plus que des fiancés. Le premier qu'elles rencontrèrent fut Monsieur Meillant. Il arrivait en voiture vers le bourg et elles se rangèrent sur l'accotement. Il fit : « Oh !... là » et la voiture s'arrêta au bord de la côte qui dominait le village, de telle sorte que les femmes et la voiture étaient dans l'ombre de la terre, et que, seuls, les naseaux du cheval semblaient tremper dans le ciel bleu du soir. Monsieur Meillant parla à sa jeune femme, comme si elle eût été seule, ainsi qu'aux jours d'autrefois : « Vous voilà bien tard sur la route, Mademoiselle, lui dit-il. Vous ne voulez pas monter dans ma voiture ? » Elle accepta, et ils s'en allèrent ainsi :

1. Dans le même épisode du roman, on lira, à l'inverse : « Il ne fallait pas songer à aller voir ce qui se passait... »

180

lui, tenant les rênes, sa blouse gonflée de vent. Il ne faisait pas plus froid qu'au mois d'avril. Elle se rappelait son enfance, les places de village traversées en voiture à la tombée du jour. Derrière les rideaux des auberges allumées, passaient des ombres qui n'étaient plus celles des joueurs de billard.

Les deux autres femmes continuèrent leur chemin, le long des haies déchiquetées dans le haut par la lumière du crépuscule. Telles que la lune, lorsqu'elle émerge avant la nuit au bord d'un paysage, elles arrivèrent toutes deux au sommet de la côte. Elles découvrirent alors les jardins qui entouraient le village, immenses, ainsi qu'elles les voyaient quand elles étaient petites. Madame Defrance descendit dans ces jardins où l'attendait son fiancé : il lui tendait la main pour l'aider à franchir les fossés, et le bras levé de la jeune femme faisait, avec son corps mince et tendu, comme une ligne de pureté...

Ils disparurent et Madame Henry poursuivit seule son chemin. Elle se rappela ce vers d'une poésie apprise à l'école :

Les chemins que le soir emplit de voix
            [lointaines...

et elle entendit ces voix qu'autrefois elle avait souvent cherché à entendre : les unes, tout près, plus douces que des fontaines ; les autres là-bas, au bout du chemin qui semblait plonger de l'autre côté de la terre, dans l'air blanc où montait une étoile.

Elle traversa le bourg sans s'arrêter : d'autres femmes, sur le seuil des maisons où elles habitaient seules comme des vierges, élevaient, au-dessus de leurs robes à longs plis et de leur taille haute, leur enfant premier-né. Elle arriva ainsi à la dernière maison du village, qui était abandonnée ; et elle aperçut debout, derrière la fenêtre, regardant sur le chemin, une jeune fille. Il y avait, dans l'air et sur la vitre, cette impalpable fumée bleue qui flotte après la pluie, le soir, entre toutes choses. On ne voyait que le visage de la jeune fille et ses mains, appuyées à la vitre. Le reste de son corps disparaissait dans l'ombre et le reflet vert de sa chambre, comme dans un beau vêtement. Et les hommes qui arrivaient à l'entrée de ce village, fatigués de leur vie comme d'une longue journée de peine se disaient :

« Voici le beau domaine que j'ai vu en rêve une fois... Ah ! et voici à la fenêtre celle que j'ai tant cherchée sur la terre ! »

Ils ne savaient pas que cette jeune fille s'appelait Marie, ni qu'elle était nue parce que son amant avait déchiré ses habits.

LA DISPUTE ET LA NUIT
DANS LA CELLULE[1]

L'après-midi commença mal[2]. Sur une pente couverte de bruyères, elle voulut par jeu, tant elle se sentait enivrée de bonheur, se laisser dérouler en poussant de petits cris; mais le vent s'engouffra dans sa robe et lui découvrit les jambes. Meaulnes l'avertit rudement. Elle tourna deux ou trois fois encore, en essayant vainement d'aplatir

1. Première publication: *Miracles*, pp. 211-217.
Ce chapitre, initialement destiné au *Grand Meaulnes*, a finalement été écarté. Alain-Fournier précise que le manuscrit en est «mis au net». Nous avons tout lieu de penser que ces pages sont celles dont Alain-Fournier parle à Jacques Rivière le 19 septembre 1910. Ce chapitre mis au point à l'automne 1910 est la transposition directe d'un épisode réel, qui se situe à Orgeville (à Pacy, dans l'Eure) entre le 24 et le 28 juin de la même année: Henri et sa maîtresse Jeanne B. avaient rendu visite à leurs amis Lhote, qui séjournaient à la «Villa Médicis libre» créée par le mécène Bonjean. La lettre de remerciements qu'ils adressent à leurs hôtes, le dimanche 3 juillet 1910, éclaire la fiction sans ambiguïté, ou plutôt révèle quelle place réduite tient ici l'invention. Après quelques semaines, Henri et Jeanne se séparent une première fois en août, ainsi que le raconte Fournier à sa sœur le 20 septembre 1910 (*Cor.*, II, pp. 367-369).
«La Dispute et la nuit dans la cellule» doit dater de cette période de séparation où, à La Chapelle-d'Angillon, Alain-Fournier romancier se fait l'annaliste — sinon l'analyste — d'Henri... En octobre 1910, Jeanne revenue depuis quelques semaines, intervient une seconde rupture, provisoirement définitive (*Cor.*, II, pp. 375-376): ils s'écriront, se reverront encore plusieurs mois, jusqu'à la nouvelle liaison, tout aussi heurtée et douloureuse, d'Henri et de cette Henriette à qui le jeune homme dira, le 11 décembre 1911: «*J*'ai cependant beaucoup d'amitié pour vous. Mais tout le mal vient de ce que votre bonheur ne serait pas le mien. Nous ne cherchons pas le même paradis.» (Cité par Isabelle Rivière in *Vie et Passion d'Alain-Fournier*, p. 173.)
2. On reconnaîtra, comme dans cette première phrase, plusieurs éléments du chapitre XV de la troisième partie du *Grand Meaulnes*, extraits du journal d'Augustin à la date du «17 juin».

à deux mains l'étoffe ballonnée; puis elle se redressa, toute pâle, sa gaieté finie, et elle descendit la pente en disant:

«Je sais bien, je sais bien que je ne peux plus faire l'enfant...»

On entendait à quelque distance, derrière les genévriers, une dispute basse, assourdie, entre leurs amis, le mari et la femme. La soirée avait un goût amer, le goût d'un tel ennui que l'amour même ne le pouvait distraire[1]... Les deux voix s'éloignèrent, âpres, désespérées, chargées de reproches. Meaulnes et Annette restèrent seuls.

À mi-côte, ils avaient découvert une sorte de cachette entre des branches basses et des genévriers. Étendu sur l'herbe, Meaulnes regardait pensivement Annette assise qui s'inclinait vers lui pour lui parler. C'était un jour semblable à bien des jours pluvieux, où seul à travers la campagne, il avait imaginé près de lui son amour abrité sous les branches. Aujourd'hui comme alors, le vent portait des gouttes de pluie et le temps était bas[2]. Aujourd'hui comme alors, couché sur l'herbe humide, il se sentait mal satisfait et désolé; et il regardait sans joie ce pauvre visage de femme que le reflet vert de la lumière basse éclairait durement.

Annette, elle, parlait de son amour: «Je voudrais, disait-elle, vous donner quelque chose; quelque chose qui soit plus que tout, plus lourd que tout, plus important que tout. Ce serait mieux que mon corps. Ce serait tout mon amour. Je cherche...» Et à la fin, en le regardant fixement, d'un air anxieux et coupable, elle sortit de la

1. Phrase qui sera reprise *in extenso* dans le roman.
2. *Idem.*

184

poche de sa jupe un paquet de lettres tachées de sang qu'elle lui tendit.

Ils marchaient maintenant sur une route étroite, entre les pâquerettes et les foins qu'éclairait obliquement le soleil de cinq heures. Meaulnes lisait sans rien dire. Pour la première fois, il regardait de près le passé d'Annette auquel il s'était efforcé jusqu'ici de ne jamais songer. Il y avait sur ces feuilles jaunies l'histoire de tout un amour misérable et charnel; depuis les premiers billets de rendez-vous jusqu'à la longue lettre ensanglantée, qu'on avait trouvée sur cet homme, quand il s'était tué, au retour de Saïgon.

Meaulnes feuilletait... Le grand enfant chaste qu'il était resté malgré tout n'avait pas imaginé cette impureté. C'était, à cette page, un détail précis comme un soufflet; à cette autre une caresse qui lui salissait son amour... Une révolte l'aveuglait. Il avait ce visage immobile, affreusement calme, avec de petits frémissements sous les yeux — cette expression de douleur intense et de colère, qu'on lui avait vus à la Colombière, un soir où un fermier qu'il aimait beaucoup l'avait attendu pour l'insulter.

Annette, atterrée, voulut s'excuser, expliquer, et ne fit qu'exaspérer sa douleur. Il lui jeta le paquet de lettres, sans répondre, et, coupant à travers champs, se dirigea vers le village en haut de la côte. Elle voulut l'accompagner, lui prendre la main, mais il la repoussa brutalement.

« Allez-vous-en. Laissez-moi[1]. »

Là-bas, dans la vallée, au tournant de la route,

1. Même réaction d'Augustin lorsque Valentine lui a montré les lettres de Frantz.

trois paysans qui rentraient au village regardaient ce couple soudain séparé, cette femme qui suivait craintivement, de loin, un jeune homme fâché qui ne se retournait pas.

En montant à travers un grand pré fauché, il regarda en arrière, au moment même où Annette se cachait derrière un tas de foin. Sans doute elle s'était dit : «Il me croira perdue et il sera bien forcé de me chercher. » Elle dut attendre là, le cœur battant, une longue minute ; puis il lui fallut sortir de sa cachette et renoncer à son pauvre jeu, puisque François[1] se donnait l'air de n'y avoir pas pris garde.

Cependant il se sentait pour celle qu'il punissait ainsi une pitié affreuse. C'était là son plus dangereux défaut : le mal qu'il faisait à ceux qu'il aimait lui inspirait tant de douloureux remords et de pitié qu'il lui semblait se châtier lui-même, en les faisant souffrir. Sa propre cruauté devenait ainsi comme une pénitence qu'il s'infligeait. Bien des fois, il avait poursuivi sa mère ou son ami le plus aimé de reproches si sanglants, si déchirants qu'il était lui-même prêt à éclater en sanglots. C'est alors qu'il souffrait. C'est alors qu'il était bien puni. Et c'est alors qu'il était impitoyable...

Annette marchait, à présent, dans un contrebas, parallèlement à lui. D'un geste mol et méprisant, il se mit à lui lancer, tout en avançant, de la terre durcie qu'elle prit pour des cailloux. Il semblait la choisir pour cible simplement parce qu'elle se trouvait là comme une chose qu'on a jetée, dont personne ne veut plus. Puis il parut se piquer au jeu. On eût dit, à la fin,

1. Meaulnes n'est pas encore définitivement baptisé.

qu'il cherchait à l'atteindre par dégoût, pour se venger du dégoût qu'elle lui inspirait... Annette cependant, ne s'arrêtait pas de grimper péniblement la colline. Elle, si peureuse, elle ne cherchait pas à éviter les coups. Mais, par instants, elle tournait un peu sa figure toute pâle et regardait de côté celui qui lui lançait des pierres.

Elle s'engagea enfin dans un sentier qui conduisait chez Sylvestre, tandis que Meaulnes traversait un pré où des petites filles cueillaient des fleurs. Elles s'arrêtèrent un instant et levèrent la tête pour lui dire, tout affairées:

« C'est pour votre dame, Monsieur... »

Une fois rentré, il écouta longtemps leur amie qui causait paisiblement dans une salle voisine. Il songeait: «Nous allons partir. Je veux partir demain matin, ce soir.» Puis il se fit dans la salle à côté un brusque silence, et Mme Sylvestre, effrayée, vint lui dire qu'Annette était évanouie.

Il la trouva assise auprès d'une fenêtre, la tête tombée, toute blanche.

Quand on l'eut déshabillée et couchée dans le petit lit de fer, elle se prit à dire en grelottant: «Je suis un petit chien. Je suis un petit chien; un pauvre petit chien malade.» Et Meaulnes fut le seul à comprendre pourquoi elle disait cela.

Il lui expliqua tout bas qu'il ne lui avait pas jeté des pierres. Elle ne répondit pas. Et vainement il tenta de la réchauffer en la couvrant d'oreillers. Elle restait glacée, immobile. Et seul, le vieux Sylvestre, en lui frottant les mains, parvint à lui donner un peu de chaleur, parce qu'il était, ce soir-là, son seul ami.

À la tombée de la nuit, on vint dire à Meaulnes qui dînait rapidement qu'Annette avait peur et le réclamait. Très tard, assis auprès d'elle, il lui tint compagnie en silence. Puis il se coucha.

Pour la première fois ils passaient la nuit dans cette grande cellule. Ils se trouvaient enfoncés dans le lit étroit de la religieuse, tous les deux, le garçon et la fille, le mari et la femme. Malgré leurs griefs, leurs corps, comme ceux de deux amants, étaient, dans l'obscurité, serrés l'un contre l'autre. Et le drame recommença, plus secret, plus pénible que la dispute de l'après-midi. Ils ne se parlaient pas. Annette, sur le point de s'endormir, disait de temps à autre, d'une voix basse et brève : « François ! » et cela ressemblait à la foi à un appel bien tendre et à un cri de frayeur involontaire. Meaulnes, pour la calmer, lui serrait le bras, sans répondre.

Une odeur, aigre d'abord, puis fade et écœurante, montait du corps immobile d'Annette et s'épaississait entre les rideaux — odeur de sang corrompu, de femme malade... Meaulnes, éveillé, ne savait plus maintenant si son dégoût était pour cette misère, cette misère physique qui soulevait le cœur, ou pour les amours coupables de sa compagne.

« Je vais me lever, dit-il soudain, en se dressant sur un coude. »

Annette comprit. D'un ton de lassitude infinie, elle dit :

« C'est moi qui me lèverai. Voyez, vous ne pouvez pas souffrir une femme auprès de vous. Vous ne pouvez pas endurer une femme... »

Il hésita un instant, puis il la retint :

«Ah! misère, misère, dit-il d'une voix sourde. Tu sais bien que je t'aime; que je t'aime, femme! que je t'aime, pauvre femme!...»

Et il serrait contre lui avec fureur l'enfant malade et effrayée.

LES FÊTES PUBLIQUES[1]

On ne s'est pas amusé, durant cette journée de Carnaval, à Paris. Il n'y a pas eu de fête : ni bals, ni masques, ni confetti. La détresse de quelques-uns a plongé tous les autres dans la tristesse ou l'ennui. Un désastre comme cette inondation[2] de Paris, une menace qui s'adresse à tous les hommes, indistinctement, fait prendre conscience à la foule de son âme collective ; et rappelle que les plus grandes épouvantes et les plus grands malheurs sont collectifs.

Il en est de même des grandes joies et des grandes fêtes.

Lorsque j'étais enfant et que je faisais le compte de mes joies, lorsque je supputais puérilement toutes mes raisons d'être heureux, je n'avais garde d'omettre dans l'addition les fêtes publiques. Car les enfants ont gardé ce don merveilleux et primitif de participer spontanément au malheur et au bonheur qui les environne. La veille du mardi-gras, tandis que je rentrais à la tombée de la nuit, par les chemins du village, une grande joie mêlée de terreur m'envahissait : je m'imaginais, ce soir-là, tous les enfants et tous les hommes occupés au même jeu

---

1. Ce texte qui devait être destiné à *La Grande Revue* et que l'on date aisément de l'hiver 1910 par les allusions à la crue de la Seine et au triste Carnaval que les Parisiens viennent de connaître, n'a pas été publié, pour une raison que nous ignorons, peut-être à cause de son caractère trop personnel, alors que ce sont justement ces confidences qui, désormais, à nos yeux, en font le prix.

2. L'inondation de 1910 fit de nombreuses victimes.

exqui et angoissant ; cachés derrière les haies ou dans l'encoignure des portes, ils allaient surgir avec des masques épouvantables et d'absurdes petites voix déguisées ! — Vers la fin de mai, lorsque pour la première fois on parlait de la fête du pays ; au début de décembre, quand les menuisiers clouaient à l'entrée du bourg, les arcs du [sic] triomphe du comice agricole, je sentais monter en moi une ivresse que je n'ai jamais retrouvée. — Le 14 juillet, le 15 août, « les Prix » étaient des stations admirables sur les chemins des mois d'été ; je me redisais ces dates, tout bas, dans mes chagrins, comme un enfant qui compte silencieusement, la main dans la poche, les billes qu'il a gagnées.

J'ai su que mon enfance était passée lorsque ces joies ont cessé de compter pour moi ; et j'en ai eu grand regret. Or il en est des peuples comme des hommes. La jeunesse d'un peuple se mesure à son aptitude aux grandes réjouissances publiques. Il faut admirer l'ingénuité des Russes qui s'embrassent, pleins de joie, le matin de Pâques, en disant : « Christ est ressuscité ! » — Et l'on répond « En vérité, Christ est ressuscité ! » Jusqu'ici en effet les religions seules ont su annoncer aux hommes une nouvelle si importante, leur promettre un bonheur si grand, qu'ils en oublient leurs soucis particuliers pour se réjouir en commun. Et notre époque, spectacle étrange, continue à se réjouir au retour anniversaire de ces fêtes dont elle a oublié le sens. Que manque-t-il donc au peuple de France, le goût pour la joie, ou l'occasion de se réjouir ?

Certes il y a encore, dans ce peuple, un amour primitif pour les grandes fêtes collectives, qui donne confiance dans sa force et dans sa jeunesse. Il faut, un soir de mardi-gras ou de mi-carême, s'être trouvé vers 7 heures, dans les parages de l'Hôtel de Ville de Paris : les ponts sont barrés ; les gardes républicains à cheval font reculer la foule ; on croit à une émeute ou à une catastrophe ! Il faut s'être enfoncé dans ce flot humain, avoir respiré l'odeur de la misère, avoir vu les ouvriers les plus pauvres élever leurs enfants dans leurs bras au passage des chars et crier : « Vivent les reines ! » Certes, celui qui, enfoui, au milieu de la place immense, entre les hommes descendus des faubourgs a contemplé tout autour de lui les fenêtres comme des trous béants remplis de visages —, celui-là connaît le désir de la gloire, le besoin de donner un nom, une idée qu'elles acclament à ces bouches innombrables.

Mais quelles occasions de réjouissances notre temps offre-t-il à cette foule ? L'Angleterre nous propose un exemple que nous ne suivrons pas : les fêtes religieuses pour cette nation croyante sont célébrées dans le silence et la tristesse : aussi a-t-elle dû créer des jours de fête obligatoire, les *bank-holidays*, où, sans autre prétexte que la fermeture des banques, l'on s'amuse bruyamment dans les rues et l'on s'enivre dans les tavernes.

En France, il m'a été donné d'assister, il y a quelques années, à un grand « *meeting automobile*[1] ». Les assistants, par leur avidité à s'y ruer, faisaient penser à des pèlerins. Toute une nuit, des trains bondés arrivèrent en Normandie. Sur la route, des gens livides se hâtaient pour arriver avant le lever du jour, qui devait marquer le commencement de la course ; d'autres, dans les

1. Un Grand Prix de l'Automobile Club de France s'est déroulé pour la première fois au Mans en 1906.

fossés, sous la paille et les feuilles, en frissonnant, s'éveillaient. Mais cette foule passionnée,
jusqu'au soir est restée triste. Elle était venue
poussée par l'amour de la force et le goût d'un
danger qu'elle-même ne courrait pas. Le spectacle
de cette puissance mécanique conquise ne suffisait pas à délivrer les individus de leurs soucis
misérables.

Il est pourtant des victoires remportées sur la
matière, des triomphes de la pensée, qu'il faudrait rendre tangibles à la foule, à force de
spectacles et de plaisir. J'ai regretté que le vol
d'un homme au-dessus de la mer, celui d'un autre
au-dessus de Paris n'aient été célébrés que par
des fêtes insignifiantes[1]. Il y avait là pour le
peuple de France un admirable prétexte à s'as-
sembler et à se réjouir gravement.

Mais on mesure parcimonieusement la joie à ce
peuple. Aux portes et sous les galeries des théâtres, les plus favorisés attendent pendant des
heures, tristement et en silence, qu'on leur vende
un peu de spectacle. Il est temps qu'on utilise les
millions qui se dépensent dans les théâtres et les
music-halls, d'une façon qui satisfasse mieux la
foule. Ce problème a préoccupé les esprits, les

1. C'est le 25 juillet 1909 que Louis Blériot a effectué la première
traversée de la Manche en avion, de Calais à Douvres.
Le 18 octobre 1909, le comte de Lambert survole Paris pour la
première fois à bord d'un appareil Wright et effectue un virage autour
de la tour Eiffel. Alain-Fournier, Jacques Rivière et Pierre Rivière,
frère cadet de Jacques, ont été passionnés par les débuts de l'aviation.
Le 11 août 1910, Alain-Fournier écrit à son ami : «... Un monoplan, en
plein ciel, au-dessus de nous passait. Pour la seconde fois j'ai regardé
cela, au-dessus de Paris, avec une émotion sans mots...» Et d'insister
un peu plus loin sur *l'humanité* de cette émotion : «...Pas un homme,
dans la rue, qui ne pensât pas à cela.» (*Cor.*, II, pp. 353-354.)
Rappelons que Fournier et Rivière ont volé avec René Caudron le
28 juin 1912 (Cf. Alain-Fournier — Charles Péguy, *Correspondance*,
1910-1914, Fayard, 1973, p. 73 et hors texte photographique n° 8).

plus divers et les plus élevés de ce temps : les Carrière, les Ch. Morice, les Gérault-Richard[1]... Au lendemain d'un désastre, tandis que lentement nous reprenons espoir, il faut songer de nouveau aux « *Fêtes humaines* ».

Henri Fournier

1. Eugène Carrière (1849-1906), peintre des maternités et des enfants, est considéré au début du siècle comme un maître à penser dont il est de bon ton de vanter l'humanitarisme, sinon de s'en réclamer. Charles Morice (1861-1919) lui a consacré une étude importante, *Eugène Carrière, l'homme et la pensée, l'artiste et l'oeuvre*, Paris, 1906, suivie en 1908 d'une monographie d'Élie Faure, *Eugène Carrière, peintre et lithographe*, Paris, Floury. Ces deux livres insistent sur les options très généreuses de l'artiste. Alain-Fournier se fait donc l'écho des idées et des engouements de son temps. De plus on se rappelle que Gérault-Richard (1860-1911) est le rédacteur en chef-fondateur (en octobre 1908) de *Paris-Journal* : il était important que Fournier se ménageât son appui...

LE MIRACLE DE LA FERMIÈRE[1]

Depuis plus de deux semaines j'étais à la campagne, dans le bourg de la Colombière, avec Jacques, Françoise et Isabelle, et chaque jour Isabelle disait, en riant au bout de chaque parole :

1. Première publication : *La Grande Revue*, 25 mars 1911. Repris dans *Miracles*, pp. 181-197.

Les « sources » du *Miracle de la Fermière* ont été données par Henri Fournier à Jacques Rivière, parmi d'autres informations sur des personnages que celui-ci a connus pendant son séjour à La Chapelle-d'Angillon, en septembre 1907 :

« La femme déraillée de Calande s'est levée avant le jour, un matin, et sans rien dire est partie chercher le petit gars à Laumoy. Il est revenu. » (*Cor.*, II, p. 163, Lettre du 27 septembre 1907.)

Calande est le véritable nom des fermiers qu'Alain-Fournier baptisera « Beaulande » ; ils vivaient dans la ferme des Bergerons, qui existe, dans les environs de La Chapelle-d'Angillon.

Le 7 décembre, Henri Fournier annonce à Jeanne B. qu'il écrit un nouveau texte :

« C'est une histoire de paysans que j'appelerais *Le Miracle de la Fermière*. C'est l'histoire d'un petit paysan que l'instituteur fait envoyer en pension, sur la demande du père. La mère ne veut pas, ni le petit gars non plus. Une fois arrivé à la pension, le petit s'ennuie, les autres le battent. La ville est à une journée de chemin de fer. La mère ne sait pas lire, pas écrire, elle n'est jamais sortie de chez elle. Pendant la nuit, une grande nuit d'octobre où il pleut, elle part en carriole, reste perdue pendant deux jours, et le troisième jour revient avec l'enfant.

Il y aura dans cette histoire de beaux paysages enfantins et paysans que tu aimeras.

Cette histoire est arrivée, bien entendu. Je connais les gens. Elle est arrivée parce que les paysans sont des gens droits et simples et que personne n'a le droit de déranger leur vie, ni d'entrer dans leur royaume que personne ne connaît.

Cette histoire est vraie encore parce que toutes les histoires sont vraies — même celle de la Résurrection du Christ. Il faut tout croire. »

(Émile-Paul, Col. « Les Introuvables », mars 1938, et Isabelle Rivière, *Vie et Passion d'Alain-Fournier*, p. 143.)

— La Colombière!... Nous imaginions trois fermes en ruine autour d'un colombier perché sur une côte, avec des milliers de pigeons qui se seraient envolés à notre approche... Pas du tout! C'est une petite ville rouge et blanche alignée proprement sur la route...

— Nous pensions voir des paysans, disait un autre. Il en passe quelquefois en voiture, qui ne s'arrêtent jamais!

Et moi je répondais:

— Prenez patience. Quelque jour, nous irons ensemble au hameau des Chevris[1]. Vous verrez: il n'y a qu'une vieille ferme grise derrière des barrières blanches et la maison d'école où j'ai passé mon enfance, en pension chez l'instituteur. Je vous ferai connaître Beaulande et sa femme, les fermiers des Chevris.

— Je n'y compte guère, disait Françoise. Et, soulevant le rideau de la fenêtre, en se penchant un peu, elle regardait au loin curieusement... Je regarde où vont les voitures des gens de campagne.

Et elle «regarda» ainsi jusqu'au jour où Jean Meaulnes, le fils du maître d'école des Chevris[2], nous écrivit enfin:

«J'irai demain vous chercher en voiture avec Beaulande.

«Beaulande a bien changé depuis que tu l'as connu. Il boit. Le peu d'argent qu'il a gagné lui a tourné la tête. Il veut mettre son plus jeune fils Claude en pension à Paris. Sa femme se désole, le

1. «Les Chevris» est attesté parmi les toponymes autour de La Chapelle-d'Angillon.
2. Les rôles sont inversés par rapport à la «distribution» du roman en gestation: Meaulnes, le fils de l'instituteur est ici le sédentaire, et c'est le narrateur qui, comme Henri Fournier, a dû s'arracher au pays natal pour connaître l'emprisonnement dans un lycée parisien.

petit n'y tient guère et Beaulande a pensé à toi pour les convaincre. Car on parle toujours de toi, ici; on se rappelle le temps où tu passais dans la cour de la ferme comme un petit seigneur, avec ta blouse noire et ton grand col blanc.

« La mère Beaulande me répétait l'autre jour: « Il y a quinze ans de cela, mais je le vois encore. Il avait dans les neuf ans[1]. Il s'appuyait contre un chenet, et il m'a dit tout d'un coup, après m'avoir longtemps regardée tourner dans la maison: — Madame Beaulande! — Quoi donc, mon mignon! — Vous êtes bien comme une espèce de reine!...» Et elle riait encore comme alors, la tête en arrière, d'un grand rire tranquille.

« Elle aussi a beaucoup changé, pourtant, et vieilli. On raconte, je ne sais pourquoi, que la mauvaise conduite de Beaulande lui a dérangé la tête et qu'elle est un peu folle.

« Dis bien à Isabelle et à Françoise, pour qu'elles n'aient pas de déception, que les paysans ne ressemblent guère à ce qu'elles imaginent, et que, d'ailleurs, personne au monde ne peut se vanter de les connaître.»

Ce fut une belle promenade en voiture, par les chemins de traverse. Nous nous enfoncions, par instant, sous les branches des haies, et les roues grinçaient dans le sable fin des ornières. Françoise disait qu'il lui semblait, dans les allées d'un immense jardin, voyager sous les arbres.

1. On voit que le narrateur, sur qui l'on compte pour décider le petit Claude et sa mère à l'exil parisien, a le même âge qu'Alain-Fournier et qu'il était habillé comme lui pendant son enfance paysanne.

Puis le chemin monta. Nous commençâmes d'apercevoir entre les haies interrompues, par delà les terres plus arides et plus grises, tout un grand paysage liquide.

— De chez nous, disait Beaulande, on découvre par les temps clairs plus de vingt lieues de pays. Et il appelait un à un par leurs noms ces villages perdus qui tremblaient à l'extrême horizon.

— Paris est là-bas, dit-il en riant, et d'un geste vague, avec son fouet, il montrait la vallée qui tournait et se perdait au loin, comme une lente rivière toute voilée de vapeurs, semée de fermes dans des bouquets d'arbres, pareilles à des îles bleues.

Il ajouta :

— Le petit va bientôt y partir : les vacances s'achèvent...

Dans ce calme paysage où l'été finissait, un train passa, comme un regret. Sa fumée blanche monta, tout près de nous, derrière une haie. Nous l'entendîmes plus loin rouler sur un petit pont, et nous imaginâmes, là-bas, le ruisseau où cet hiver, entre les roseaux cassants et gelés, le petit Beaulande ne viendrait plus, silencieusement, en fraude, tendre ses cordes à poissons.

— Voilà, me dit Françoise, le train qui l'emmènera. Mais pourquoi veut-on qu'il s'en aille ? Et s'il s'ennuie en pension... ? Et s'il regrette sa campagne, comme vous ?...

Certes, le petit Beaulande regretterait les longues journées d'hiver aux Chevris, lorsque, enfermé dans une étude moisie d'un lycée de Paris, il regarderait la grande pluie de décembre plaquée par le vent sur les vitres, ou lorsque, prêtant l'oreille à quelque voix perdue de ses souvenirs, il entendrait seulement monter de la rue le morne cri captif des raccommodeurs et des marchands d'oiseaux.

Il n'irait plus, les matins de gelée blanche, à sept heures, avec les autres, attendre devant l'église que le curé sortît de son presbytère en se frottant les mains, et vînt sonner à la petite cloche les trois coups du catéchisme.

Avec quel regret il se rappellerait ces lointaines matinées!... En sortant de l'école, à midi, dans la cuisine de la ferme, il se glissait sans rien dire pour attendre le goûter. C'était le dégel, et des flaques d'eau froide tombaient des paillers dans la cour. Il mangeait bien vite et repartait en courant, avec ses poches remplies de châtaignes bouillies.

Le soir, un peu avant l'angélus, à l'heure où l'épicerie du hameau s'allume et sonne, les demoiselles institutrices venaient chercher du lait. Elles attendaient un instant dans l'ombre, sur le pas de la porte, qu'on les eût servies, et elles faisaient, au moment de partir, des gestes si doux et de si beaux saluts que l'enfant paysan courait se cacher dans quelque grange, tant il se sentait de honte auprès d'elles.

Et parfois, le jeudi matin, il découvrait, en se levant, toute la cour de la ferme et les prés là-bas, jusqu'à la rivière enfoncés dans la neige. Au loin, dans les creux du paysage, on apercevait quelques métairies pareilles à celles qu'on voit sur les images et les calendriers. Toute serrée entre la neige et le ciel bas, appuyée contre un grand arbre mort, chacune d'elles paraissait seule dans la campagne abandonnée... Alors, le petit Claude se prenait à courir droit devant lui, en se retournant de temps à autre pour regarder la trace de ses sabots; puis, choisissant sur le chemin l'endroit le plus blanc et le plus scintillant, il s'y couchait de tout son long, le nez en avant, pour y faire son portrait.

Après midi, quand il revenait au même endroit, le menton dans le cache-nez que sa mère lui avait mis, le haut de sa rude petite figure fouetté par le vent, il retrouvait intact le creux que son corps avait fait dans la neige. Il lui semblait que personne ne passerait là jamais plus ; qu'il était le maître de tout ce pays blanc et il reprenait sa course à travers le grand après-midi gelé, comme un patineur qui s'élance sur un lac immense, en poussant un cri de plaisir !

Prisonnier, dans l'étude, quand le veilleur viendrait allumer les lampes, avec quel regret il se rappellerait les soirs purs et glacés qui, lentement, descendaient sur ces belles journées d'hiver !... Il s'en revenait alors, entre les champs de neige, qui faisaient sous la nuit tombante de grandes lueurs immobiles, vers la ferme chaude et vivante où les travaux des hommes cessaient, tandis que sa mère, avec les domestiques, préparait le repas. Elle prenait le petit sur ses genoux, lui enlevait ses bas humides, les glissait dans les hauts chenets de fer. Puis, assise dans un coin de la vaste cheminée noire, elle s'attardait un instant à faire chauffer les jambes nues de son dernier-né...

Entre deux haies serrées, par un petit chemin tournant, la voiture filait en frôlant les ronces et déboucha soudainement dans la cour des Chevris. Il y avait, dans un pré voisin, auprès des barrières de la grande entrée, la machine à battre. On l'entendait depuis le matin bourdonner comme une grosse guêpe prise dans le beau temps.

Les hommes au faîte de la machine, dans la paille poussiéreuse, continuaient, sans vouloir prendre garde aux visiteurs, leur travail rythmé qui ressemble à un grand jeu pénible. C'est à peine si deux d'entre eux se dressèrent, la main au front, pour nous regarder. Les autres disaient à haute voix, dans le bruit de la batteuse, des mots que nous n'entendions pas et que nous sentions pleins de reproches et d'hostilité.

Meaulnes et Beaulande étaient partis à la recherche du petit Claude. Descendus de la voiture, nous restâmes immobiles un instant au milieu de la cour, Françoise, Isabelle, Jacques et moi, serrés les uns contre les autres, un peu gauches et ridicules comme quatre Anglais débarqués. Et je revois Françoise si gênée sous le regard des paysans, si malheureuse, qu'elle fit le geste soudain de se réfugier contre l'un de nous.

La porte et le volet de la grande cuisine noire étaient ouverts; mais personne ne sortit sur la plus haute marche pour nous regarder venir et nous faire bon accueil. Nous entrâmes, et Meaulnes nous fit asseoir autour de la table où l'on avait posé une jatte de lait.

Sans nous dire bonjour, ou si bas qu'on ne l'entendit pas, la fermière entra pour nous servir. Je reconnus cette figure rude et amicale et je fis un mouvement comme pour aller vers elle. Mais, la tête basse, elle distribua lentement les assiettes sans vouloir nous jeter un regard et s'en retourna dans une chambre voisine.

— Vous irez la trouver, m'avait dit Beaulande; vous lui parlerez; mais vous verrez qu'elle n'est pas commode à prendre.

Je la trouvai près d'une croisée basse, à rideaux rouges, à demi obstruée par les reines-marguerites d'un profond jardin vert. Elle cousait avec obstination, et je vis bien, tout de suite, que je ne la « prendrais » pas.

Lorsqu'elle leva la tête enfin, pour me répondre, ce n'était plus cette femme paisible, ni ce visage confiant de la paysanne qui me souriait jadis, mais une pauvre figure affolée et ruinée, que battait une mèche de cheveux gris sortis de sa coiffure[1] ; et elle me parlait de sa forte voix campagnarde, comme si elle se fût adressée à une troupe de gens ameutés contre elle. Immobile, mais soulevant la tête à chaque mot, elle me jetait amèrement des reproches :

— Qui donc s'occupera de ses affaires ? disait-elle, et qui donc raccommodera son linge ?... C'est-il vous qui le soignerez s'il est malade !... Si loin que ça de chez nous, à cent dix lieues, jamais il ne s'habituera ! On n'ira jamais le voir... Écrire des lettres ? Je ne sais pas lire et je ne sais pas écrire !

Sans se lasser, elle continuait :

— Jamais on n'avait envoyé nos garçons chez les autres. Jamais on n'en avait loué un[2]...

Et comme je disais, un peu honteux, que c'était la volonté de son père :

— Un homme qui boit, répondit-elle, et qui est perdu maintenant, fallait-il l'écouter ?

Elle avait laissé son ouvrage. Elle était dressée près de la fenêtre, à contre-jour, et je la revis un instant comme jadis, lorsque j'étais un enfant

---

1. Ce sera le visage de la mère de Meaulnes lorsque Seurel, venu apporter « la grande nouvelle », la trouvera en train de préparer les « affaires » de son grand fils. (3e partie, chap. 4.)
2. Curieusement, il n'est plus question d'envoyer l'enfant étudier à Paris : l'anecdote réelle des Calande prend ici le pas sur celle du conte.

campagnard semblable au petit Claude — patronne de quatre servantes et commandant tout un peuple de volailles, haranguant au milieu de la cour un océan de poulets blancs, jetant avec lenteur de grandes poignées de mil et poussant un long cri traînant sur la campagne de midi, qui faisait accourir, tête baissée, là-bas, dans le petit chemin, deux, trois, quatre... sept poulets en retard !

Beaulande, pendant ce temps, faisait battre en vain les alentours de la ferme pour trouver l'enfant :

— Il s'est caché, disait-il avec un rire fâché. On ne le tient pas !

Jusqu'à notre départ, en effet, le petit Beaulande resta perdu, soit que les valets de ferme fussent de connivence avec lui, soit plutôt qu'il fût enfoncé dans une de ces cachettes que, seuls, connaissent les enfants des domaines, au creux d'une meule de paille ou dans un trou au bord de la rivière.

Peut-être, plein d'une révolte silencieuse et entêtée, resterait-il là deux jours sans manger et sans bouger, comme cette fois où le maître d'école l'avait injustement battu. Peut-être, tout près de nous, dans un coin du grand domaine complice, regardait-il partir, avec rancune et moquerie, notre petite troupe déçue, et, dès que nous aurions tourné dans le chemin, le verrait-on mêlé soudain au groupe des valets, travailler sans rien dire.

★

Aux premières grandes pluies d'octobre, nous avons quitté la Colombière. De grand matin, tandis que les fougères des talus dégouttaient dans le brouillard, nous sommes passés à pied devant les Chevris, pour aller prendre le train.

De loin, nous entendions chanter, dans une grande terre voisine de la route, et nous nous sommes arrêtés un instant, pour écouter en silence. Je connaissais ce grand chant du labour, dont on ne peut jamais dire s'il est plein de désespoir ou de joie, ce chant qui est comme la conversation sans fin de l'homme avec ses bêtes, l'hiver, dans la solitude. Mais jamais l'homme qui chantait, de cette voix lente et traînante comme le pas des boeufs, ne m'avait paru si désespéré d'être seul[1].

C'était Beaulande. Nous l'entendîmes, au bout du sillon, gourmander lentement son attelage et arrêter, derrière la haie, la charrue, qui fit un bruit de chaînes. Il vint à nous :

— Le petit est parti depuis le début de la semaine, dit-il. On a fini par le décider. Seulement, voilà, les nouvelles sont mauvaises, ce matin.

Il chercha sous sa blouse, dans sa ceinture, une lettre pliée, qu'il me tendit. L'enfant écrivait qu'il ne pourrait jamais s'habituer, que les autres l'avaient battu et qu'il voulait revenir, «parce que, disait-il, mon père est à la charrue, maintenant, et je suis sûr qu'il a besoin de moi.»

— J'avais fait cela pour son bien, nous dit Beaulande en baissant la tête. J'ai eu tort, il faut croire... J'ai bien caché la lettre à la maison, mais la maîtresse a l'air de se douter de quelque chose.

Le train était annoncé. Nous entendions, dans

1. Même s'il y a ici un souvenir du chant du labour de *La Mare au Diable* («On n'est point un parfait laboureur si on ne sait chanter aux boeufs...»), la tristesse grave d'Alain-Fournier n'a rien de commun avec l'idéalisme de George Sand.

la vallée, la cloche de la petite gare. Il nous fallut quitter Beaulande et reprendre notre route, après l'avoir consolé tant bien que mal. Longtemps nous avons ignoré ce qui s'était passé à la ferme des Chevris après notre départ, et c'est Jean Meaulnes qui, l'autre jour, m'a conté ce qui suit.

★

Le soir même, à la tombée de la nuit, il y avait eu, dans une étable, entre le fermier et sa femme, une de ces disputes autour desquelles tout le monde s'écarte parce qu'elles sont rares et terribles. Elles rompent l'accord silencieux de la ferme et l'ordre établi. On ne sait plus qui est le maître. Et la servante, qui obéit d'ordinaire à la femme, craint de passer auprès du fermier.

On avait connu déjà cette sorte d'angoisse, lorsque le frère de Beaulande, devenu fou, errait chaque nuit autour du domaine, pour mettre le feu aux meules de paille, et, récemment encore, quand une des servantes avait raconté que Beaulande rôdait autour d'elle.

Ce soir-là, comme alors, il y eut donc, au cœur de la ferme, un grand désordre silencieux. Le berger, voyant la fermière toute tremblante, avait voulu l'aider. Il avait oublié de faire rentrer ses moutons, qui étaient restés longtemps serrés les uns contre les autres, à bêler dans la cour. Enfin, la plus vieille des servantes elle-même était entrée, toute pensive, dans l'écurie aux juments, pour traire les vaches, et Beaulande lui avait demandé rudement ce qu'elle venait faire là...

Elle en était restée troublée. C'était elle qui, chaque matin, ou plutôt chaque nuit, vers trois heures, se levait la première pour mettre l'eau de la soupe sur le feu. Sitôt éveillée, elle se leva cette nuit-là, comme d'habitude, cassa du bois et remplit d'eau la marmite. C'est alors qu'accroupie, la tête basse, réfléchissant devant l'eau qui commençait à tourner et à chanter, elle entendit sonner les douze coups de minuit...

Elle s'était levée trois heures trop tôt.

Son ouvrage était trop avancé pour qu'elle pût songer à se remettre au lit. Pour passer le temps, elle voulut faire, un falot à la main, une ronde dans le domaine. Il tombait une pluie froide, et sa lanterne s'éteignit deux fois. Elle s'obstina, sans savoir pourquoi, et entrant dans l'écurie chaude où les juments, debout sur leurs quatre pieds, dormaient, la vieille femme, inquiète, leva sa lanterne et la fit tourner à la hauteur de ses yeux. La jument blanche n'y était plus. Ni, dans la remise, la vieille basse voiture bourbonnaise.

Elle comprit tout de suite que la fermière s'était enfuie. Et elle se mit à marmotter quelque chose tout bas.

Elle éveilla le fermier, qui courut appeler Jean Meaulnes, son voisin, et longtemps, tous les deux, ils cherchèrent dans la boue, à la lueur du falot, les traces des roues que la pluie avait effacées.

Durant deux jours, ce furent, dans les environs, des recherches vaines. Beaulande, accablé, ne disait rien. De temps à autre, seulement, il répétait les mêmes phrases:

— Elle est perdue, ma femme. Elle ne peut pas se retrouver. Elle ne connaît pas les routes. Elle est perdue dans les marnières...

★

Le troisième jour, de grand matin, Jean Meaulnes, qui devait partir, avec le fermier, pour continuer à battre la contrée, s'éveilla dans sa chambre aux poutres basses. Il se retourna sur sa couche. Dans la fenêtre obscure, comme dans un vitrail, s'allumaient les rouges, les jaunes et les bleus profonds du soleil levant.

Une petite pluie vint mouiller la vitre.

Il s'habilla silencieusement et descendit l'escalier. Il faisait jour, déjà. Mais c'était le jour bas du grand matin, ce jour pâle et précis comme un clair de lune, dans lequel il semble que toutes les choses soient posées comme des décors avant que la vie réelle ne commence.

Il sortit. La petite grille de l'école grinça et se referma lourdement. On entendit, dans le hameau, le cri d'un coq. Puis tout redevint silencieux et immobile.

Meaulnes s'engagea dans la courte allée qui menait chez les Beaulande. Il écoutait son pas égal, le seul bruit de cette heure, et, sourdement, profondément, le battement de son cœur, lorsque, levant la tête, à dix pas devant lui, il aperçut, devant les barrières blanches, une voiture arrêtée.

Il se dit, presque à mi-voix:

— On dirait Claude Beaulande et sa mère...

Sur le siège, en effet, une femme en bonnet blanc, penchée, semblait guetter dans la cour quelqu'un qui vînt lui ouvrir. Le petit Claude, à côté d'elle, un vieux chapeau de paille noircie abaissé sur les yeux, grelottait.

La jument, la tête tombée entre les pattes de devant paraissait fatiguée comme si elle eût voyagé toute la nuit. La lanterne, encore allumée, jetait sur la croupe de la bête une lueur étrange. Et une fine petite pluie continuait à tomber, qui faisait briller vaguement la paille étalée sous les pieds des voyageurs.

Au moment où Meaulnes allait interpeller la femme, quelqu'un, de l'intérieur, ouvrit les grandes barrières, et la voiture, en cahotant, pénétra dans la cour.

Tandis que le valet de ferme commençait à dételer la jument, la femme et l'enfant descendirent lentement et à reculons, à la façon des paysans, et la mère Beaulande alla cogner au volet de la porte.

On entendit, à l'intérieur, la servante s'approcher en traînant ses sabots; elle ouvrit le volet d'abord, puis la porte :

— Salut, maîtresse, dit-elle d'une voix basse et étranglée. Vous l'avez donc ramené ?

— Il a bien fallu, répondit l'autre simplement. Puis elle s'en alla, au fond de la chambre, dans l'obscurité, changer de robe pour le travail du jour.

La pluie avait cessé. Le village s'éveillait. Sur la côte sonnait, à toute volée, comme au matin d'une fête, la messe de sept heures.

PORTRAIT[1]

> *Nous savons ce que c'est*
> *que d'avoir du regret, du remords...*
> *de la contrition sans avoir failli*
> *et sans rien avoir à se reprocher;*
> *du péché sans avoir péché; et que ce sont*
> *les plus profonds et les plus ineffaçables.*

Charles Péguy [2]

Il se nommait Davy[3]. Je l'avais connu, à quinze ans, au lycée de B., où j'ai préparé — dix mois — le concours de l'École Navale[4]. Il devait être fils de pêcheur ou de matelot. Il portait, à la promenade, une pèlerine trop courte, comme nous tous, mais la sienne laissait passer deux énormes mains gourdes et gonflées.

Il était peu remarquable. À voir sa petite tête basse et son corps d'adolescent, vous n'eussiez pas deviné sa vigueur extraordinaire. Sa laideur même était insignifiante. Il avait les traits courts

---

1. Première publication : *La N.R.F.*, 1er septembre 1911. Repris dans *Miracles*, pp. 199-210.

2. Texte emprunté à *Victor-Marie, Comte Hugo*, Cahiers de la Quinzaine, 1er Cahier, 12e série, 23 octobre 1910. (En vol., chez Gallimard, 1934, p. 222.)

3. Jean-Marie Delettrez (*Alain-Fournier et Le Grand Meaulnes*, Paris, Émile-Paul, 1954, p. 235) précise que Fournier a appelé son personnage Davy en souvenir du David Copperfield de Dickens.

4. Rappelons qu'Alain-Fournier suivit au lycée de Brest les cours de préparation à l'École Navale du 1er octobre 1901 aux vacances de Noël 1902. (Il avait sauté la classe de 3e pour entrer en « seconde marine » à Brest. En janvier 1903, il put entrer en classe de philosophie au lycée de Bourges.)

et la bouche avancée, comme un poisson; des cheveux sans couleur qu'il lissait avec sa main lorsqu'il était perplexe...

J'ai vécu longtemps près de lui sans le voir. Il était vétéran dans ce lycée où j'arrivais. Il fréquentait un groupe où je n'avais nulle envie d'entrer. C'était une dizaine d'anciens mousses de «La Bretagne», grossiers et taciturnes, préoccupés seulement de fumer en cachette. Ils ne s'appelaient entre eux que par leurs sobriquets: la Bique, *Coachman*, Peau-de-Chat... Et lorsque pour la première fois, je m'adressai poliment à Davy: «Dis donc, Davy, s'il te plaît...» il me regarda d'un œil morne, et, se frottant d'une main la peau du visage qu'il avait fort déplaisante, il me donna ce renseignement:

— On ne m'appelle pas Davy; mon nom, c'est Peau-de-Chat.

Puis, se tournant vers son voisin, il se prit à rire lourdement.

Longtemps, j'évitai de lui parler. Je l'apercevais parfois dans un groupe, faisant des tours de force ou donnant à la ronde des claques, avec ses larges mains molles qui faisaient rire tout le monde. Il semblait aimer sa misère. Je lui en voulais de n'être pas plus malheureux. Et je passais les récréations avec des externes distingués qui m'interrogeaient sur Paris, les théâtres...

Vers le mois de mai, Davy qui travaillait son examen avec application fut classé premier, en même temps que moi, dans une composition, française ou latine, je ne me rappelle pas. Ceci nous rapprocha. Parfois, en étude, il venait comparer sa version à la mienne; et nous causions un instant. Il n'était pas satisfait comme je l'avais cru. Il avait, comme tous les autres, l'immense désir d'être un jour officier de marine, mais il n'espérait pas y parvenir. Je n'ai même jamais vu de jeune homme à ce point dépourvu d'espérances. Il parlait de lui-même avec un mépris absolu. Et lorsque je lui faisais quelque éloge, il avait une façon de hocher la tête et de souffler du nez... Pourtant je lui ai connu aussi des instants d'abandon, des gestes pleins de douceur et de gaucherie; il faisait l'aimable, le plaisant; il disait de petites phrases bêtes qui le rendaient tout à fait ridicule.

De ces conversations, maintenant que je sais ce qu'il est advenu de Davy, maintenant, je cherche vainement à retrouver quelques bribes. Nous ne parlions qu'examens et compositions. Il ne me serait pas venu à l'idée de lui parler d'autre chose. Et cependant il me reste, de ces mois d'été 1901[1], deux ou trois souvenirs que je veux fixer ici pour mon inquiétude et pour mon regret...

Le matin, de très bonne heure, nous descendions dans la cour, et l'on nous accordait une courte récréation avant de rentrer en étude. C'était une petite cour pavée, tout entourée de murs. À cette heure, le soleil n'y donnait pas encore. Nous étions plongés dans une ombre glacée. Mais sur le toit voisin de l'Hôtel des Postes, nous apercevions, en levant la tête, les fils du télégraphe bleuis, dorés, rougis par le soleil levant et qui tremblaient sous le chant de mille petits oiseaux.

1. Lire en fait: été 1902. Le lapsus figure, dès la première esquisse, sur tous les brouillons conservés.

Personne ne criait ni ne jouait. Certains fumaient une cigarette, cachée dans le creux de leur main, au fond de leur poche, et se promenaient de long en large sous le préau ; les autres s'entassaient auprès d'un portail condamné, dans une sorte de trou formé par une brusque descente qui mettait la cour de niveau avec la rue voisine. On s'asseyait, les jambes pendantes, sur les parapets de ce trou, sur les crochets de fer qui condamnaient le portail. On ne voyait pas dans la rue, mais parfois, contre les battants, tout près, tout près de soi, on entendait le pas de quelqu'un qui s'éloignait...

Tous, nous avions la tête lourde, l'estomac vide, une fièvre lente... Il y avait parfois de brusques réveils de cette torpeur, une poussée, de grandes tapes. « La Bique » interpellait « Peau-de-Chat ». Des rires. On faisait sauter bien loin le livre ou le béret de quelqu'un, et tous couraient après... Puis, lentement, les uns après les autres, ils venaient se rasseoir.

C'est par un de ces matins-là, vers la fin de la récréation, que je découvris, dans une anthologie, une page de *Dominique*[1] :

La distribution avait lieu dans une ancienne chapelle abandonnée depuis longtemps, qui n'était ouverte et décorée qu'une fois par an pour ce jour-là. Cette chapelle était située au fond de la grande cour du collège ; on y arrivait en passant sous la double rangée de tilleuls dont la vaste verdure égayait un peu ce froid promenoir. De loin, je vis entrer Madeleine en compagnie de

1. Il s'agit du récit de la distribution des Prix au collège d'Ormesson. Madeleine, devenue Mme de Nièvres, y assiste au grand déplaisir de Dominique (Eugène Fromentin, *Œuvres complètes*, éd. Guy Sagnes, Bibl. de la Pléiade, 1984, chap. VIII, pp. 457-458).

plusieurs jeunes femmes de son monde en toilette d'été, habillées de couleurs claires, avec des ombrelles tendues qui se diapraient d'ombre et de soleil. Une fine poussière, soulevée par le mouvement des robes, les accompagnait comme un léger nuage, et la chaleur faisait que des extrémités des rameaux déjà jaunis une quantité de feuilles et de fleurs mûres tombaient autour d'elles, et s'attachaient à la longue écharpe de mousseline dont Madeleine était enveloppée... etc.

Jusqu'à ce passage, que je cite aujourd'hui par cœur :

... Et quand ma tante, après m'avoir embrassé, lui passa ma couronne en l'invitant à me féliciter, elle perdit entièrement contenance. Je ne suis pas bien sûr de ce qu'elle me dit pour me témoigner qu'elle était heureuse et me complimenter suivant l'usage. Sa main tremblait légèrement. Elle essaya, je crois, de me dire :
«Je suis bien fière, mon cher Dominique», ou «c'est très bien».
Il y avait dans ses yeux tout à fait troublés comme une larme d'intérêt ou de compassion[1], ou seulement une larme involontaire de jeune femme timide... Qui sait[2]! Je me le suis demandé souvent, et je ne l'ai jamais su.

Lecture comme une longue épingle fine enfoncée dans le cœur de l'adolescent que j'étais... Je ne pus supporter de la garder pour moi seul. Je me levai. Je marchai un instant, tenant le livre

1. Véritable texte: «... une larme ou d'intérêt ou de compassion».
2. Lire: «Qui sait?»

ouvert à la page, et j'aperçus Davy, immobile, adossé contre le mur du préau. Les mains aux poches, enfoncé dans un gros paletot bleu, il semblait grelotter à l'ombre trop fraîche. Je lui dis : « Tiens, lis donc ça ! » Il lut debout, lentement, et leva la tête lorsqu'il eut terminé : son visage n'exprimait pas l'admiration que j'attendais, mais une gêne indéfinissable et insupportable. Il eut un sourire forcé, me mit la main sur l'épaule et se prit à me secouer doucement, en disant :

— Voilà, voilà ce qui arrive !

Me trompé-je et mes souvenirs sont-ils déformés par ce que je sais maintenant : il me semble qu'à cette époque Davy modifia légèrement ses habitudes. Il quittait parfois ses amis et s'insinuait dans le groupe des externes « pour voir ce que nous disions ». Je le vis s'appliquer à des tâches que l'examen ne réclamait pas. On nous faisait lire à tour de rôle, à la fin des classes de français ; et les anciens mousses, qui n'avaient pas à cet égard comme les externes des prétentions, méprisaient cet exercice. Or on vit un jour Davy s'essayer à bien lire. Ce fut un effort que le professeur encouragea, mais dont l'échec fut complet. Il s'efforçait de lire avec naturel ; c'est-à-dire qu'il donnait aux dialogues de Corneille le ton détaché d'une conversation ; il faisait disparaître tous les e muets avec tant de hâte et tant de gêne que le souffle lui manquait avant la fin des phrases... Dans la cour, le soir, au milieu de ses compagnons ordinaires, il se mit à contrefaire soudain sa lecture essoufflée, puis il se prit à rire follement en distribuant au hasard des bourrades et des coups de pied.

À quelque temps de là, au début de juillet, le Cirque Barnum vint à B. J'errais, un matin de congé, dans la banlieue déserte de la ville, lorsque je rencontrai Davy, désœuvré comme moi, qui me proposa de descendre vers la place du Vieux-Port, où l'on achevait de monter le cirque américain.

Toute une vie extraordinaire s'était installée sur la place naguère semée de tessons et de cailloux comme un terrain vague. Des personnages exotiques glissaient entre les tentes carrées en nous regardant du coin de l'œil. Des serviteurs, en silence, se hâtaient vers une tâche que nous ne connaissions pas. Tout là-bas, des réfectoires immenses, montait, par bouffées, un bruit énorme de vaisselle remuée.

Ici, à l'ombre des arbres, des chameaux somnolaient ; un grand diable vêtu de toile s'efforçait de les réveiller et leur tenait en anglais un petit discours que Davy et moi nous avons compris. Dans la partie haute de la place, un éléphant poussait un tronc d'arbre et, sous les taches alternées d'ombre et de soleil, deux hommes, étrangement enveloppés dans des pagnes, l'encourageaient d'un mot guttural, incompréhensible et toujours le même.

Il était près de onze heures, lorsque à regret, nous descendîmes vers la ville, en suivant les grandes tentes blanches et grises, comme un long mur où le soleil donnait. Je commençais à souffrir de la soif, de cette soif du matin, qui ne s'apaise pas avec du vin, mais qui donne le désir de s'asseoir à l'ombre sur l'herbe fraîche et de regarder couler l'eau du ruisseau. Je voulais demander à Davy s'il avait soif aussi, lorsque soudain le vent d'été, soulevant un pan du mur de toile, nous découvrit un coin du campement.

Tous les deux, nous regardâmes avec curiosité...
C'était, entre les tentes, une sorte de cour intérieure, qui me parut immense. Au fond, assise à
l'ombre et nous tournant le dos, une jeune fille,
qui devait être une écuyère, lisait. Sur son cou
délicat retombaient ses cheveux noués. Elle était
renversée dans sa chaise et ne nous voyait pas.
Elle paraissait si loin de nous, dans un jardin si
frais, si paisible et si beau, qu'il nous semblait
l'avoir découverte avec une lunette d'approche.

Je me tournai vers mon compagnon et je lui
souris. Il me regarda fixement une seconde et
leva la main comme pour me dire : Ne fais pas de
bruit... Puis, avec précaution, il rabattit le morceau de toile, et nous partîmes tous les deux à pas
de loup.

C'est peu après que je quittais le lycée de B. En
fouillant dans mes souvenirs, je ne revois plus
Davy qu'un soir, le soir du 14 juillet de cette
année-là. Ce jour de fête s'était terminé par un
défilé de gens des faubourgs, sous des lampions
enflammés, qui chantaient des refrains ignobles.
À onze heures, Davy et moi nous décidâmes de
rentrer. Dans la rue du lycée, déserte, des lan-
ternes brûlaient. Ailleurs, bien loin, ce devait être
une extraordinaire nuit d'été. Une fille de notre
âge, que nous connaissions je ne sais comment,
nous rencontra et nous annonça fièrement :

« Vous savez ? J'ai été raccrochée par deux
officiers ! »...

Avec une espèce de rire tremblant et colère,
Davy lui répondit :

« Eh bien ! Si jamais j'arrive officier, c'est pas
encore après toi que je courrai ! »

Et il me regarda, sûr de mon approbation,

comme s'il voulait dire: «Nous savons bien, nous, après quelles femmes nous courrons...»

Il y a dix ans que je n'ai pas revu Davy et je sais maintenant que je ne le reverrai jamais. Je n'ai pas d'autre souvenir de lui que deux anciennes cartes postales auxquelles je n'ai pas songé à répondre, et cette coupure d'un journal récent[1]:

Un enseigne de vaisseau, François Davy, âgé de vingt-quatre ans, embarqué à bord du croiseur X, s'est tiré, ce matin, un coup de revolver d'ordonnance dans la bouche. Désolé d'avoir été éconduit par le père d'une jeune fille qu'il aimait, il écrivit à son frère[2] une lettre désespérée et, s'enfermant dans une chambre qu'il avait louée à B., tenta de mettre fin à ses jours[3].

Il eut la boîte crânienne traversée[4].

Il a été transporté dans un état désespéré à l'Hôpital Maritime.

Qui eût jamais pensé cela de Davy! Personne ne comprend. Il avait si bien réussi. Il était si fier. Il avait dit: «Maintenant que je suis reçu, je

1. Cette coupure a été conservée par Alain-Fournier; l'information est datée de Brest, 8 mai [1911]. On y lit le vrai nom du camarade d'Henri: Yves Pony, «originaire de Plouvenel (Côtes-du-Nord), embarqué à bord du croiseur «Jeanne d'Arc»...» Jean Loize précise que Yves Pony était né en fait à Plouguier, près de Tréguier, le 22 janvier 1887 (*op. cit.*, p. 287).

2. La première édition de *Miracles* donne ici: «il écrivit à son *père*», version manifestement fautive, ne serait-ce qu'à cause de la répétition du substantif. Toutes les ébauches et la pré-publication de *La N.R.F.*, en revanche, donnent «frère» que nous rétablissons.

3. Deux modifications du fait divers publié par le journal sont ici très éloquentes: a/ Fournier ajoute le détail de la «lettre désespérée», ce qui accroît la solitude du jeune homme et l'effet de pathétique; b/ en revanche, il renonce à la précision inutilement vulgaire du journal: «le malheureux se rend dans les water-closets d'un appartement de la place du Château et tenta de mettre fin à ses jours».

4. François Davy n'a trouvé d'autre solution à son désespoir que la mort. Il montre ainsi la voie à Frantz de Galais.

me fous de tout!» Son frère voulait arriver comme lui. Ses parents ne faisaient rien sans le consulter...

Il agonise, maintenant, derrière une porte. Il est midi. Les médecins l'ont laissé. Dans le couloir désert, un matelot passe en jetant de la sciure de bois.

Les journaux racontent son histoire. Ce fut l'histoire la plus simple et la plus honnête: Une jeune fille qu'il voulait épouser. *Il l'avait aperçue*, disent-ils, *pendant un congé, dans le pays de ses parents*[1]. J'imagine cette promenade où il la rencontra. Par une fin de matinée bretonne, pluvieuse et romanesque, une jeune fille se penche à la balustrade, ou disparaît avec un sourire entre les arbres mouillés du jardin... Ah! dès ce premier sourire, mon frère, je sais le grand désespoir qui t'a gonflé le cœur!

Il passait, en petite tenue, une badine à la main, sifflotant... Il se trouva soudain affreusement gauche et bête et laid. Il se rappela *Dominique*; il se rappela cette matinée où nous avions découvert la jeune fille américaine dans le jardin du cirque. Cette fois, il était tout seul, perdu sur

---

1. Alain-Fournier a beaucoup travaillé ce passage, depuis la dernière ligne de l'entrefilet du journal. Voici le texte manuscrit qui figure en marge d'une feuille d'épreuves de *La N.R.F.*:
Les matelots se sont écartés sur le passage de la civière. On l'a couché dans une chambre et les médecins sont venus. Maintenant la nuit tombe; des gens parlent à voix basse dans le couloir. Derrière la porte l'officier agonise.
Personne ne comprend. Il avait si bien réussi. Il était si fier. Il avait dit: «Maintenant que je suis reçu, je me fous de tout!» Son frère voulait arriver comme lui. Ses parents ne faisaient rien sans le consulter. Orgueil, sagesse, espoirs, rien n'a tenu devant ce désespoir-là. Il écrivait, la veille, à son frère: «C'est une peine qui ne peut pas se dire...»
Ce fut l'histoire la plus simple et la plus honnête: une jeune fille qu'il voulait épouser. *Il l'avait aperçue*, ont dit les journaux, *pendant un congé dans le pays de ses parents.*

cette route difficile, dans ce pays du romanesque où je l'avais inconsidérément mené. Je n'étais pas là pour l'encourager, pour lui tendre la main à ce dur passage. Rentré chez lui, il pensa m'écrire, puis il se souvint de ses cartes postales restées sans réponse. Alors il décida de ne rien dire à personne...

Table

Composition réalisée par COMPOFAC - PARIS

IMPRIMÉ EN FRANCE PAR BRODARD ET TAUPIN
Usine de La Flèche (Sarthe).
LIBRAIRIE GÉNÉRALE FRANÇAISE - 6, rue Pierre-Sarrazin - 75006 Paris.
ISBN : 2 - 253 - 04706 - 6   ◈ 30/6510/9